*Ce monde
qui vient*

DU MÊME AUTEUR

chez Grasset :

LA MACHINE ÉGALITAIRE, 1987.
LA GRANDE ILLUSION, 1989.
L'ARGENT FOU, 1990.
LA VENGEANCE DES NATIONS, 1991.
FRANÇAIS, SI VOUS OSIEZ, 1991.
LE MÉDIA-CHOC, 1993.
WWW.CAPITALISME.FR, 2000.
EPÎTRES À NOS NOUVEAUX MAÎTRES, 2003.
LES PROPHÈTES DU BONHEUR. Une histoire personnelle de
    la pensée économique, 2004.

chez d'autres éditeurs :

L'INFORMATISATION DE LA SOCIÉTÉ, *avec Simon Nora,* Le
    Seuil, 1978.
L'APRÈS-CRISE EST COMMENCÉ, Gallimard, 1982.
L'AVENIR EN FACE, Le Seuil, 1984.
LE SYNDROME FINLANDAIS, Le Seuil, 1986.
LE NOUVEAU MOYEN AGE, Gallimard, 1993.
CONTREPOINTS, *recueil d'articles,* Le Livre de poche,
    1993.
DEUX FRANCE, Plon, 1994.
LA FRANCE DE L'AN 2000, Odile Jacob, 1994.
L'IVRESSE DÉMOCRATIQUE, Gallimard, 1994.
ANTIPORTRAITS, Gallimard, 1995.
LA MONDIALISATION HEUREUSE, Plon, 1997.
LOUIS-NAPOLÉON REVISITÉ, Gallimard, 1997.
AU NOM DE LA LOI, Gallimard, 1998.
SPINOZA, *un roman juif,* Gallimard, 1999.
LE FRACAS DU MONDE : JOURNAL DE L'ANNÉE 2001, Le
    Seuil, 2002.
JE PERSISTE ET JE SIGNE, CONTREPOINTS II, *recueil
    d'articles,* Le Livre de poche, 2002.

Alain Minc

Ce monde qui vient

BERNARD GRASSET
PARIS

Introduction

Depuis que l'Histoire s'est remise en mouvement, après la chute du communisme, les Occidentaux oscillent entre le culte des dates et le goût des prophéties. Côté dates, 1989 aurait clos le XXe siècle et le 11 septembre 2001 aurait ouvert le XXIe. Côté prophéties, nous avons connu l'irénisme dans les années quatre-vingt-dix, la paix et la prospérité étant supposées régner pour « les siècles des siècles », puis après les *Twin Towers*, le conflit des civilisations et une troisième guerre mondiale d'un nouveau type.

Tel est le mélange de faits et de simplismes qui nourrit notre quotidien. Il occulte les forces souterraines à l'œuvre qui, elles, établissent en profondeur le décor du théâtre mondial. Sans doute ne dessinent-elles pas l'avenir et laissent-elles à l'histoire ce que Marx appelait son imagination, mais les ignorer ressemble à l'attitude d'un navigateur qui ne s'intéresserait ni aux courants, ni au sens et à la puissance du vent. Certaines de ces forces sont apparues avant même 1989 ; d'autres sont nées de l'effondrement du socialisme prolétarien ; toutes ont été dopées par la révolution technologique en cours et l'extension du marché au monde entier. Elles mêlent fatalité, paradoxe et hasard. Elles portent en elles le poids des phénomènes qui relèvent de « l'histoire longue » braudelienne : traditions, identités, cultures. Elles constituent au fond nos infrastructures. Quelques-unes se lisent à livre ouvert ; d'autres sont encore inscrites à l'encre sympathique. Exemple des premières : la transformation des Etats-Unis, d'un nouveau monde qui nous ressemblait tant, à un autre monde qui nous est de plus en plus étranger. Exemple des secondes : le développement, à terme, d'un modèle capitaliste chinois qui pourrait donner raison aux prophéties les plus noires sur le destin de l'économie libérale. Mais où classer la plasticité de l'Occident, dont celui-ci est inconscient, et qui avalera le terrorisme, comme il l'a fait pour tant d'autres chocs ? Et la plus grande faiblesse de notre système économique, qui ne tient pas au risque d'accident sur les marchés mais à l'absence de social-démocratie dans les nouveaux pays émergents ? De même, doit-on regarder l'Europe comme un « OVNI » inadapté au monde contemporain ou, au contraire, comme l'illustration même de la modernité, sa complexité témoignant de son adaptabilité ?

La France est malheureusement à mille lieues de ces débats-là. Plus « village gaulois » que jamais, elle mène croisade contre les Etats-Unis sans se rendre compte qu'elle a, en face d'elle, un interlocuteur sans précédent, non plus un pays occidental, mais un « pays monde ». Elle regarde l'Asie selon les images d'Epinal qui lui viennent à l'esprit. Elle se laisse aller à des pulsions « antiglobalisation » sans même faire l'effort de comprendre les ressorts de la mondialisation. Elle peste contre sa *diminutio capitis* en Europe, sans en deviner les raisons. Elle est en pleine régression dans sa compréhension du monde, choisissant de mauvais enjeux et ignorant les vrais. Oublieuse d'une réalité qui fait encore d'elle un pays de cocagne, elle préfère vivre dans l'illusion. Mais à ce jeu-là, le village gaulois peut rapidement se transformer en « village Potemkine ».

Puisse ce petit *vade-mecum* repérer quelques-unes des forces souterraines à l'œuvre dans le monde qui vient.

1

Du nouveau monde à l'autre monde

Nous voyons les Etats-Unis avec les yeux d'hier.

Les atlantistes militants assimilent les tensions avec l'Europe, et en particulier la France, à un épiphénomène exacerbé par les personnalités abrasives de George Bush et Jacques Chirac ; les atlantistes timorés mettent en cause les excès idéologiques de l'administration républicaine ; les anti-Américains rejouent, à leur manière, le discours de Phnom Penh, rêvant d'une France devenue le chef de file du « mouvement des non-alignés » et d'un Chirac successeur à sa présidence de Nehru ou de Nasser... Les premiers sont nostalgiques ; les seconds naïfs ; les derniers fantasmagoriques ; tous vivent avec, à l'esprit, une Amérique fictive. Les Etats-Unis se métamorphosent. Hier premier des pays occidentaux, ils deviennent le seul

« pays monde ». Pays monde, car ils sont en train de réussir sur leur territoire le syncrétisme de la planète entière. Pays monde, ils établissent un laboratoire où se concoctent les valeurs collectives de demain, alors que l'Europe, vieille ou nouvelle, est le congélateur des valeurs occidentales classiques. Pays monde, ils vivent un paradoxe : ayant absorbé, concassé, mélangé en leur sein des alluvions venues de partout, ils ne comprennent rien de ce qui se passe au-delà de leurs frontières. Pays monde, ils sont à la fois un miroir dans lequel se projette la planète mais aussi son centre, un rêve et un repoussoir, une image de synthèse et un pur fantasme, donc un phénomène *sui generis* aux antipodes d'une puissance impériale traditionnelle.

Une immigration de toutes origines, l'irrésistible ascension des Hispaniques, le kaléidoscope ethnique, l'impressionnante irruption des Asiatiques au sommet de l'université et de la recherche : le « nouveau monde » est désormais un « autre monde ». Demain les élites économiques, politiques, médiatiques seront colonisées par ces Américains du troisième type. Mais avec les Indiens à la place des Juifs, les Chinois remplaçant les *wasps* et les Hispaniques se substituant aux catholiques irlandais, comment imaginer que l'Amérique puisse voir encore dans l'Europe son *alma mater* ?

Ce n'est ni céder à un culte marxiste des infrastructures, ni nier la puissance du *melting pot* d'outre-Atlantique que de faire de la révolution démographique en cours aux Etats-Unis la cause première de leur actuelle mutation. Une démographie allègre, la seule parmi les pays riches, qui a vu la population croître de 1990 à 2000 de 13,6 % contre 3,4 % pour l'Union européenne ; une fécondité alimentée par les immigrés, digne de l'après-guerre : 2,6 % en 2001 contre 1,47 % en Europe ; une population jeune avec seulement 18,4 % de personnes de plus de soixante ans, contre 21,5 % dans l'Union européenne. Avec, à la clef, suivant les bonnes vieilles règles, un formidable adjuvant à la croissance économique, la garantie d'une augmentation régulière de la demande, une pression vers le mouvement et l'innovation.

Mais plus encore que les effets mécaniques d'une démographie dopée, comme autrefois, par les flots ininterrompus d'immigrants – un habitant sur huit est né à l'étranger, taux le plus élevé depuis 80 ans –, c'est la transformation ethnique de cette immigration qui bouleverse la donne. La mettre en exergue, c'est évidemment aller à l'encontre des règles « politiquement correctes », si typiquement françaises qui interdisent par exemple à l'INSEE de demander l'origine ethnique des individus ; c'est admettre

13

que la machine à broyer les identités connaît des limites ; c'est supposer qu'un jour un Président des Etats-Unis d'origine chinoise ne verra pas le monde, et en particulier l'Europe, avec les mêmes yeux que Kennedy.

Les Anglais regardent depuis longtemps ces phénomènes avec moins de gêne que nous. Ainsi Harold Macmillan notait-il dans son *Journal*, le 27 septembre 1952 : « Nous sommes menacés, de la part des Américains, d'un mélange de pitié et de mépris. Ils s'en prennent à notre influence politique et commerciale partout à travers le monde... C'est en réalité un peuple étrange. Peut-être notre erreur est-elle de continuer à les regarder comme un peuple anglo-saxon. Leur sang est désormais très mélangé : c'est une mixture latine et slave avec une bonne part d'Allemands et d'Irlandais. » Tony Blair oserait-il écrire avec la même brutalité que son lointain prédécesseur : les Etats-Unis n'auront plus rien de commun avec le vieil Occident ; ce sera un pays multiculturel, porté par le tonus des Hispaniques et dominé par des Chinois, des Indiens et d'autres Asiatiques en perpétuelle rivalité pour le pouvoir ? Pousserait-il la provocation jusqu'à ajouter : les Noirs appartiennent, de ce point de vue, à la vieille Amérique en déclin, la même que celle des Polo-

nais et des Allemands, et non à celle des nouvelles minorités conquérantes ?

Fantasme prétendront d'aucuns, à la limite
du préjugé raciste. Le vieux *melting pot* n'a
jamais empêché les Irlandais, les Polonais, les
Allemands de garder un lien, à défaut d'un cordon ombilical, avec leur terre d'origine. Pourquoi en irait-il différemment demain des
Chinois et des Indiens ? Mais alors que, à l'exception des Allemands, les minorités d'hier
venaient de pays pauvres ou de nations humi-
liées, le futur « sel de la terre » américain, chinois ou indien, sera en résonance avec les
puissances dominantes de demain. Comment
croire qu'ils auront la même sensibilité stratégique, culturelle et affective que les descendants
des immigrants irlandais, des Juifs d'Europe de
l'Est ou des Italiens des années 1900 ?

Un seul pays européen va trouver son avantage à ce tremblement de terre ethnique : l'Espagne qui, par le miracle de l'*Hispanidad*
deviendra porteur d'un « lien spécial » avec les
Etats-Unis, alors que celui des Britanniques
s'étiolera au rythme d'une mémoire commune
de plus en plus lointaine. D'ores et déjà plus
nombreux que les Noirs, les Hispaniques croissent quatre fois plus vite que le reste de la population : ils représenteront demain la majorité de

15

la population dans des Etats aussi importants que le Texas et la Californie. Si le monde entier est représenté au sein de l'immigration en cours aux Etats-Unis, deux lames de fond vont néanmoins la dominer : l'une, d'origine hispanique, est d'ores et déjà partie à la conquête démographique et territoriale d'une partie des Etats-Unis ; l'autre, asiatique, plus diffuse, va s'installer au cœur des élites, au rythme des diplômes que conquièrent les enfants de la première génération. Voilà l'Amérique de demain : elle ressemblera moins à une projection de l'Europe qu'à une synthèse du monde, avec les alluvions les plus importantes en provenance de l'Ouest et du Sud.

Ce serait tomber cette fois-ci dans l'ethnicisme que de lier les bouleversements du système de valeurs à l'évolution démographique. Mais le phénomène est néanmoins là. La nouvelle Amérique, cet « autre monde » commence à sécréter ses références : elles ne correspondent que partiellement aux nôtres. Que partagerons-nous dans vingt ans ? Le marché et le suffrage universel. Ce ne seront pas des traits typiquement occidentaux : le marché sera vraisemblablement le liquide amniotique de la terre entière ; et le suffrage universel s'étend cahin-caha, sans rimer pour autant avec la démocratie traditionnelle et son cortège de pouvoirs et contre-pouvoirs.

Le modèle tocquevillien survivra-t-il, inchangé, aux Etats-Unis ? On peut sans doute l'affirmer, mais avec moins de certitudes que pour l'Europe. Guantanamo est-il une exception ou une anticipation ? Des psychoses obsidionales, telle la crainte du terrorisme, auront-elles raison des *checks and balances*[1] ? Probablement pas ; « l'autre monde » aura cependant moins de défenses morales que n'en avait « le nouveau monde » : moins d'anciens persécutés à sa tête ; moins de citoyens élevés dans le souvenir du totalitarisme ; moins de racines plongeant dans les traumatismes de l'Histoire.

Mais le divorce des valeurs s'accomplit surtout ailleurs. La place du sacré dans la société ? Alors que les sociétés européennes ne cessent de s'éloigner de la religion, les Etats-Unis, pourtant marqués, depuis longtemps, du sceau de Dieu, connaissent une ferveur religieuse sans précédent. Un lobby où se rejoignent les intégristes de tous les cultes. Une pratique croissante – 78 % des Américains croient en Dieu et un tiers fréquente régulièrement les offices. Des convictions de plus en plus primaires – 50 % des Américains sont convaincus de l'existence des anges contre une poignée d'Européens. Une ombre portée envahissante des références

---

1. Pouvoirs et contre-pouvoirs.

religieuses, de la « croisade » contre le terrorisme à l'« axe du mal ». Une religiosité qui crée
un continuum bizarre entre les cultes établis et
les sectes. Une omniprésence des références à
Dieu. Les Etats-Unis s'éloignent, de ce point de
vue, d'une Europe qui oscille entre l'agnosti-
cisme et l'athéisme et réduit les Eglises au rôle
d'associations de bienfaisance et leurs chefs au
rang de références morales au même titre que
les Prix Nobel ou les fondateurs des *french
doctors*.

Le primat de la raison ? Paradoxe dans un
système dont l'efficacité se veut l'emblème, la
raison est, aux Etats-Unis, en perte de vitesse.
Qui aurait imaginé, il y a vingt ans, qu'un tiers
des Etats américains interdirait l'enseignement
du darwinisme comme contraire aux principes
de la Bible ? La raison, quintessence de la gestion du système économique : oui ; la raison,
fondement de la morale collective : de moins en
moins. Quant aux visions, d'un côté et de
l'autre de l'océan Atlantique, en matière de
droits de l'homme, elles s'éloignent de plus en
plus. Peine de mort, avortement, bioéthique,
limites imposées à la recherche médicale :
autant de pommes de discorde. Même si la
vieille Amérique, libérale et progressiste se bat
pied à pied contre la mainmise du moralisme,
elle est sur la défensive, alors qu'en Europe

18

toutes les forces politiques cèdent au libéralisme ambiant et au culte de l'individu-roi.

Les innombrables batteries de sondages ne cessent de témoigner, sur tous ces sujets, des divergences entre les opinions publiques européenne et américaine. Il existe en effet une opinion publique européenne, Royaume-Uni inclus. Or, plus les opinions des pays membres de l'Union européenne se rapprochent, plus elles s'éloignent de celle des Américains. Y a-t-il meilleur exemple que la guerre en Irak ? Même si l'homme de la rue a changé d'avis aux Etats-Unis sur ce sujet, son sentiment initial était le plus révélateur car ses réflexes et son identité profonde s'exprimaient de façon spontanée. Il réagissait aux antipodes de son alter ego européen : belliqueux, quand l'autre était pacifiste ; binaire alors que le second était sceptique ; manichéen, lorsque son vis-à-vis semblait dubitatif. Sur tous les sujets à connotation morale, le même clivage joue : les Américains ont des certitudes ; les Européens un sentiment aigu de la faillibilité et de l'aléa. Robert Kagan avait sans doute tort d'appliquer sa métaphore de Mars et Vénus à la politique internationale ; elle aurait été mieux adaptée aux questions de société. Vis-à-vis d'elles, l'opinion américaine est en effet Mars : dure, rigide, combative. Et l'opinion européenne, Vénus : nuancée, tolérante, compréhensive. Or dans nos sociétés contemporaines, ce sont les opinions qui donnent le tempo de la morale, de la politique et des mœurs.

Existe-t-il un terrain sur lequel la démonstration inverse peut être faite, les deux mondes se rapprochant l'un et l'autre ? Le féminisme, le communautarisme, les droits des homosexuels. Autant les sociétés européennes résistent à l'ordre moral qui parcourt le monde américain, autant elles s'alignent, en ces matières, sur la « bien-pensance » qui règne de New York à San Francisco. Mais à cette exception près, fût-elle d'importance, que de clivages entre une Europe congélateur des vieilles valeurs occidentales, et des Etats-Unis où s'accomplit une étrange alchimie entre tous les systèmes culturels et moraux qui quadrillent le territoire et l'imaginaire américains ! Quel étonnant contraste, de ce point de vue, entre des Etats-Unis sur le point de devenir « un autre monde » et un Canada, soumis aux mêmes mutations ethniques, lui aussi en train de basculer d'est en ouest, en voie d'« asiatisation » plus accélérée même que son grand voisin et pourtant encore plus classiquement occidental, sur le plan des valeurs, que la vieille Europe ! Il n'y a pas de question morale ou d'aspiration individuelle qui trouvent où que ce soit une grille de lecture plus libérale qu'au

Canada. Voilà la preuve que le conservatisme n'a pas seulement un fondement ethnique, même si les Hispaniques sont moins progressistes que les Noirs, comme en témoignent leurs votes et leurs choix éthiques, et si les Asiatiques n'ont pas été bercés dès leur naissance par les valeurs libérales comme les *wasps* ou les enfants d'immigrés européens.

Pays monde, les Etats-Unis le sont encore par le monopole qu'ils ont acquis dans la formation des élites de la planète. Leurs universités se comparaient, il y a un siècle, à Oxford, Cambridge, Heidelberg, même si quelques moyens supplémentaires leur permettaient de prendre progressivement l'ascendant. L'écart n'a cessé de s'accroître, mais surtout la mission s'est transformée : de thébaïdes destinées à éduquer une élite nationale, elles sont devenues des usines à former les futurs chefs du monde entier. Leur règne n'en est que plus absolu. Tous les classements en témoignent, y compris le dernier en date établi par l'université de Shanghai : 8 des 10 premières universités mondiales sont américaines – seules Oxford et Cambridge résistent à ce laminage – et 15 des 20 premières. Ce sont désormais d'irrésistibles aimants : elles attirent les étudiants les plus ambitieux et parviennent à en transformer une grande partie en « immigrants de luxe ». Le rendement de la machine universitaire est, à cet égard, stupéfiant. En un demi-siècle, le nombre d'étudiants étrangers a été multiplié par 17. Il est aujourd'hui de 600 000 ; plus de la moitié sont asiatiques, avec en tête d'immenses bataillons d'Indiens et de Chinois. Leur poids ne cesse de s'accentuer au long du cursus : un tiers des PhD scientifiques va aux étrangers et, pour l'essentiel, aux Asiatiques et le pourcentage atteint même 50 % en mathématiques et informatique. Il suffit de visiter les laboratoires de Motorola et d'Intel pour prendre la mesure du phénomène : apercevoir un jeune *wasp* est incongru. Car, miracle du système, les jeunes divas universitaires d'origine asiatique sont sensibles à l'attrait du paradis technologique américain : ainsi seulement 14 % des étudiants chinois aux Etats-Unis retournent-ils, leur cursus achevé, dans leur patrie (contre 50 % pour les Français et les Allemands, par ailleurs dix fois moins nombreux).

Mesure-t-on l'effet, sur vingt ans, d'un tel rouleau compresseur ? Les Etats-Unis auront assimilé les meilleurs étudiants étrangers, en particulier chinois et indiens, et auront par ailleurs modelé l'esprit de ceux qui, résistant à leurs sirènes, seront repartis gérer leurs propres pays. Aussi longtemps que le phénomène se limite aux disciplines scientifiques, il ne semble pas décisif. Mais lorsque les résultats des MBA[1] seront identiques puis ceux de la John Kennedy School, de Georgetown et de toutes les universités qui tiennent lieu d'ENA américaines, on verra fonctionner le *old boys'network*[2] entre des chefs d'entreprise américains d'origine chinoise, indienne ou coréenne, dialoguant avec leurs alter ego retournés sur place ou avec des Premiers ministres ou ministres des Finances roumains, brésiliens ou philippins ayant suivi les mêmes écoles. Ce que l'empire britannique avait réussi, formant à Oxford ou Cambridge les plus brillants brahmanes indiens, les Etats-Unis le vivront à une tout autre échelle, ayant gardé pour eux une partie des meilleurs étudiants et envoyé les autres régir les principaux acteurs – exception faite de la vieille Europe – du monde de demain.

Ce n'est pas céder au vieux fantasme de la synarchie projeté cette fois-ci à l'échelle de la planète que de voir les plus grandes universités américaines devenir, de la sorte, les accoucheurs d'une élite qui réussirait à américaniser les non-Américains et à internationaliser les Américains. De la même manière que les Rockefeller,

---

1. Master of Business Administration : diplôme clef de gestion.
2. Réseaux d'étudiants ayant fréquenté les mêmes écoles.

Morgan, Roosevelt vivaient avec à l'esprit l'obsession de faire mieux que l'Europe, leurs successeurs se mesureront aux nouvelles grandes puissances, surtout asiatiques, elles-mêmes dirigées par des chefs sortis du même moule. Qui gagnera à ce jeu-là ? Nul ne le sait, mais l'Amérique sera plus que jamais le syncrétisme du monde. Posséder les usines qui transmettent le pouvoir et le savoir aux élites de la planète est plus décisif que d'imposer la consommation du Coca Cola ou le port du jean aux adolescents de partout, y compris à ceux qui haïssent le modèle américain. Les militants d'extrême gauche se trompent d'enjeux, quand ils fantasment sur les productions d'Hollywood, la toute-puissance de *Friends* et autres séries télévisées venues d'outre-Atlantique. C'est à Harvard, Berkeley, Stanford que se dessine la future cartographie du pouvoir mondial : Bourdieu l'aurait, lui, sans doute perçu, mais il l'aurait analysé de manière univoque comme un instrument de l'impérialisme américain, alors qu'en l'occurrence les bastilles de l'influence des Etats-Unis seront autant conquises de l'extérieur qu'elles conquerront le reste du monde.

Cette étonnante concentration du savoir académique, de la recherche et donc de la technologie apparaîtra, au fil du temps, comme le principal ressort du modèle économique américain. Ne soyons pas prisonniers d'une analyse sommaire de la croissance aux Etats-Unis. La poussée d'une démographie tonique, la flexibilité naturelle d'un système plus adapté, de ce point de vue, à l'âge de la Silicon Valley qu'il ne le fut aux exigences du fordisme, un arbitrage collectif en faveur de la compétition, fût-ce au risque d'une moindre protection : autant de raisons qui justifient quinze ans d'expansion ébouriffante. Mais comment oublier les contreparties que l'économie américaine a dû accepter, même si elle ne les a pas encore payées ? Les Etats-Unis sont un gigantesque *hedge fund*[1], avec des consommateurs, un Etat fédéral et les cinquante Etats perclus de dettes. Comme tout *hedge fund*, ils sont donc à la merci d'une hausse brutale des taux d'intérêt qui mettrait à bas l'édifice. De là l'importance de la prime stratégique dont bénéficie le dollar et qui lui évite de subir les conséquences des lois traditionnelles de la gravitation économique : la dépréciation comme fruit du déficit externe et la récession comme prix d'une envolée des taux nécessaire au financement du trou budgétaire. Ce n'est pas l'économie qui fait des Etats-Unis une « hyper-puissance », mais l'hyper-puissance

---

1. Il existe de multiples *hedge funds*. Dans ce cas précis la métaphore vise des fonds d'investissement achetant en Bourse des actions en prenant le risque d'un endettement important.

qui permet à l'économie américaine d'échapper aux règles du jeu communes.

Du côté de l'industrie traditionnelle, les Etats-Unis connaissent un recul irréversible. Qu'expriment d'autre les 120 milliards de dollars de déficit commercial à l'égard de la Chine ? Washington y a transféré son atelier de production, comme il déplacera ses plates-formes de services en Inde : les délocalisations, même d'une amplitude exceptionnelle, ne sont pas incompatibles, notons-le à l'endroit des protectionnistes du village gaulois, avec le plein emploi. Le coût du travail est évidemment essentiel dans ce gigantesque transfert mais les excès du juridisme américain, les risques de procès en tous genres, le poids de législations de plus en plus tatillonnes y contribuent aussi. On voit aujourd'hui des entreprises industrielles non américaines barrer les Etats-Unis de la carte de leurs investissements, comme ils le faisaient autrefois des pays à risques. Ils ne font naturellement pas une croix sur le marché américain, mais ils préfèrent le servir depuis le Mexique, le Brésil ou la Chine.

Le modèle ne peut fonctionner, dans ces conditions, qu'à deux conditions : un quasi-monopole de la technologie ; une domination incontestée dans la finance. Le premier génère la rente sur laquelle le système prospère ; la seconde permet de diriger les flux financiers au profit d'une économie boulimique en capitaux étrangers. Mais ce double ascendant ne met pas le pays à l'abri de soubresauts conjoncturels et monétaires sérieux. La Chine sera-t-elle, à cet égard, un créancier aussi coopératif que le fut, des décennies durant, le Japon ? Les arguments américains sont moins puissants vis-à-vis de Pékin qu'à l'égard de Tokyo : les Chinois n'ont pas perdu la guerre ; ils n'ont pas subi le pro-consulat de MacArthur ; ils ne bénéficient d'aucune ombrelle nucléaire et n'abritent aucune base de l'US Navy... Pourquoi un rival serait-il aussi compréhensif qu'un féal ? Or les 120 milliards annuels de déficit commercial se convertissent en partie, du moins jusqu'à présent, en créances sur le Trésor américain : le jour où Pékin voudra utiliser cette arme dans un bras de fer de puissance à puissance, le consommateur américain pourra s'inquiéter pour le niveau de ses emprunts hypothécaires. Impossible, dans ces conditions, de regarder l'économie des Etats-Unis à travers les critères classiques de l'impérialisme. C'est un colosse aux pieds d'argile qui est à la fois plus et moins impérial que son prédécesseur anglais du XIXe siècle.

Plus impérial, car son omnipuissance technologique n'a jamais eu d'équivalent : si forte fût-elle, l'industrie anglaise n'écrasait pas à ce point de sa superbe ses équivalents allemand ou français. L'écart ne cesse aujourd'hui de se creuser entre les Etats-Unis et les autres grands pays développés. Rien ne résiste à l'alliance entre une recherche militaire dix fois plus importante qu'ailleurs, une recherche civile plus ambitieuse, des universités sans égales, une symbiose parfaite entre le monde académique et les entreprises, et des positions de domination, telle celle de Microsoft inexpugnable à vue humaine. Le « pays monde » est le moteur technologique de la planète.

Moins impérial, car un empire en pleine splendeur exporte des capitaux, est le créancier de ses vassaux, finance même ses rivaux, alors que les Etats-Unis ont besoin de la pleine efficacité de leur système financier pour drainer à leur profit l'épargne du monde entier. Il ne faut pas être grand clerc pour prophétiser un nouveau 1971, c'est-à-dire une seconde crise du dollar qui décrochera des autres monnaies, comme il s'était effondré à l'époque par rapport à l'or. Maître et mendiant : tel est le paradoxe de la machine économique américaine. Il n'est pas sans influence sur la position stratégique des Etats-Unis.

Inventant le mot « hyper-puissance », Hubert Védrine a biaisé, sans le vouloir, pour plusieurs années la perception que nous avons des Etats-Unis. Une hyper-puissance est plus forte – c'est quasi tautologique – qu'un empire. Or, les Etats-Unis ne sont même pas un empire traditionnel. Ils n'en ont ni l'ambition, ni les élites, ni les moyens, ni le savoir-faire. L'unilatéralisme, devise de l'administration Bush depuis le 11 septembre, n'est qu'une forme particulière d'un isolationnisme tempéré par l'obligation de régler des urgences.

L'ambition d'un empire ? Rien n'est plus contraire à la culture américaine. Elle suppose une vision stable à long terme, un messianisme politique, une permanence dans l'action. Les Etats-Unis sont certes messianiques, forts d'un sentiment de supériorité et convaincus de la capacité de leur modèle à être contagieux, mais ils agissent en dehors de leur frontières par à-coups et n'ont de cesse, lorsqu'ils sont en opération, de ramener les *GI's at home* – « à la maison ». La guerre froide n'a pas fait exception à la règle : à peine le communisme disparu, Washington a réduit la voilure de sa présence militaire, alors qu'un empire traditionnel se serait incrusté. L'intervention en Irak peut s'analyser comme une tentative, consciente ou non, de faire rentrer la guerre contre le terrorisme dans ce moule traditionnel : mission, incursion, rapatriement.

Les élites d'un empire ? La tentation impériale ne fait pas partie de l'idéologie traditionnelle des dirigeants américains, fussent-ils hommes politiques, chefs d'entreprise, intellectuels. Ils ne sont certes pas indifférents au monde, se dotent plus que d'autres des instruments pour le connaître, au prix parfois d'un savoir caricatural, mais ils ne font pas leur « le fardeau de l'homme blanc », tel que Kipling voulait l'imposer à la classe dominante britannique. Les « néo-conservateurs » au pouvoir à Washington ne font pas exception à cette règle : l'unilatéralisme n'est que la contrepartie d'une méfiance viscérale à l'égard des autres ; il conduit à agir seul, mais il ne s'assimile pas à un projet de domination politique et territoriale pour des décennies.

Les moyens d'un empire ? Les Etats-Unis n'ont, de ce point de vue, ni l'argent nécessaire, ni une armée adaptée, ni l'expérience requise. A force d'être obligés de faire la quête pour financer leurs opérations extérieures, ils risquent de ressembler à des mercenaires embauchés par la communauté internationale. Vision caricaturale, certes, mais qui témoigne de la fragilité des postures choisies par les Etats-Unis : elles sont à la merci de la mauvaise volonté du Congrès ou des créanciers étrangers. Quant aux triomphes technologiques militaires des Etats-

Unis, ils ne peuvent camoufler l'inaptitude de leur armée à être le vecteur d'un véritable empire. Un format réduit par la disparition de la conscription, au point de rendre impossible la réalisation simultanée de deux missions du type irakien ; des recrutements qui plongent dans les couches les plus basses de la société, y compris les immigrés clandestins – lesquels achètent ainsi, au prix d'une période sous les drapeaux, leur légalisation ; un encadrement lui aussi de plus en plus médiocre dès lors que, dans la hiérarchie des valeurs, West Point s'éloigne chaque jour davantage de Yale ou de Princeton ; une méconnaissance absolue des exigences du maintien de l'ordre alors que la mission d'un empire est, une fois gagnées des guerres faciles, de jouer les gendarmes. Tout concourt à faire de l'outil militaire américain un des moins impériaux imaginables. La première guerre du Golfe témoignait de la conscience de cette réalité de la part de George Bush senior et de Colin Powell qui avaient théorisé les conditions de l'engagement militaire : un surcroît de technologie, un coup de main brutal, un retrait immédiat.

Le savoir-faire d'un empire ? Imaginons, un instant de déraison, que les Américains aient sous-traité la guerre en Irak aux Britanniques, comme une entreprise peut sous-traiter son informatique à un spécialiste. Les chefs militaires anglais se seraient précipités sur les mémoires de leurs prédécesseurs en charge des deux occupations passées de Bagdad ; les fonctionnaires détachés sur place auraient retrouvé les réflexes du *Colonial Office* ; les diplomates se seraient rappelé les préceptes du colonel Lawrence ; les unités d'occupation auraient appliqué les techniques apprises depuis des décennies à Belfast et tous auraient fait preuve du scepticisme et de l'empirisme que cent cinquante ans de fréquentation intense du Moyen-Orient ont enseignés aux Britanniques. Les choses se seraient-elles passées, sur place, différemment ? Mieux, sans doute ; bien, nul ne le sait. Mais cette hypothèse, à l'évidence absurde, témoigne *a contrario* de l'inaptitude des Etats-Unis. Sans doute piqués au vif par cette comparaison, les Américains rétorqueraient que le fait de ne pas avoir possédé d'empire est à leur honneur. Ils auraient moralement raison. Mais cela confirme l'impossibilité où ils sont d'en créer un aujourd'hui.

Plus les Etats-Unis, au lieu d'être une « hyperpuissance », deviendront le « pays monde », plus la tentation isolationniste sera forte. Un chiffre caricatural en témoigne : deux tiers des membres de la Chambre des représentants n'ont pas de passeports ! Quand l'Amérique était la

« fille aînée de l'Europe », comme la France la « fille aînée de l'Eglise », une large part de ses élites luttait contre le narcissisme collectif auquel s'assimile l'isolationnisme. 1917, 1941, la guerre froide : autant d'étapes clefs de ce combat. Aujourd'hui, même cette frange-là de l'*establishment* est obligée de tenir compte du climat ambiant. Les mots, les réflexes, les gestes des Kerry, Clinton, George Bush senior nous sont plus sympathiques que les rodomontades du tandem Bush-Cheney, mais les différences sont de degré plus que de nature... Eux aussi doivent s'adapter à une nouvelle Amérique, plus multiculturelle, plus centrée sur son nouveau *melting pot*, plus égoïste.

Contrairement aux apparences liées aux guerres en Afghanistan et en Irak, l'onde de choc du 11 septembre favorisera le repli sur soi. Puisque les incursions militaires menées de-ci de-là ne font pas baisser la menace terroriste, mais risquent au contraire de l'accentuer en faisant apparaître de nouveaux candidats au suicide, le pays se cadenassera davantage sur lui-même. Il protégera ses frontières. Il sélectionnera plus soigneusement les immigrés au détriment des candidats à l'entrée musulmans et *a fortiori* arabes. Il investira dans les services de renseignements : tout en laissant dépérir une OTAN traditionnelle sans vocation ni projet, il essaiera de bâtir au contraire une OTAN de l'espionnage et de la lutte antiterroriste aussi efficace que l'ancienne est devenue conformiste, aussi organisée que l'institution de Bruxelles ressemble à un club fatigué. Menacés pour la première fois de leur histoire sur leur sol, les Américains se lasseront rapidement d'aller chercher dans un combat avec des Etats improbables la solution à leur problème. *Back to America* – le retour sur l'Amérique – deviendra paradoxalement le slogan du « pays monde ».

Le narcissisme ne peut tenir lieu de politique internationale. A défaut de jouer à l'empire, les Etats-Unis auront plus que jamais des interfaces à gérer avec le reste du monde, mais la hiérarchie des intérêts sera cohérente avec le basculement géographique et ethnique du pays. Comment mettraient-ils au même niveau de préoccupations une Europe qui, sur le plan stratégique, ressemble à une grosse Suisse accueillante et insignifiante, et une Chine devenue leur atelier industriel, demain leur premier créancier et chaque jour davantage leur principal rival ? Comment s'articuleront les relations avec une Inde, en retard d'une génération sur la Chine, mais qui à partir de son rôle comme plate-forme de services, connaîtra la même interpénétration économique, monétaire et ethnique avec l'Amérique ? La Russie est

34

mieux lotie que l'Europe dans les priorités américaines, mais elle le doit moins à une force nucléaire fantomatique qu'à sa puissance pétrolière, elle bien réelle. Le Moyen-Orient continuera à s'inviter à la table des préoccupations des Etats-Unis, ne serait-ce que par la présence, en son sein, d'un Israël devenu le cinquante et unième Etat, de fait, de l'Union. S'ajoutera toujours à la liste l'Amérique du Sud « arrière-cour des Etats-Unis », suivant les critères de la doctrine Monroe, sans compter quelques épines aussi désagréables que la Corée du Nord ou les Balkans. Mais des relations obligatoires ne fabriquent pas un dessein impérial.

La menace terroriste rapproche-t-elle les Occidentaux de l'Amérique ? A coup sûr, mais sans créer une proximité plus grande avec nous qu'avec, par exemple, l'Egypte ou l'Indonésie. Si le moteur du terrorisme était la haine des riches, sans doute se développerait-il une solidarité des nantis. Mais jouant sur un clavier différent, le fondamentalisme étend l'angoisse à l'échelle de la planète entière, sans la moindre distinction Nord-Sud ou Est-Ouest. Même si Washington demeure, comme aujourd'hui, la puissance de dernier ressort, celle qui hérite des ennuis du monde sans pouvoir nécessairement les résoudre, c'est la réalité internationale qui oblige les Etats-Unis à agir, davantage que leur souhait spontané de peser sur le reste de l'univers. Une Amérique plus interpellée par le monde que désireuse de le modeler à son image ; une Amérique d'autant plus narcissique, égoïste, isolationniste qu'elle se satisfait d'être, à elle seule, le syncrétisme du monde ; une Amérique qui, quand elle se met au balcon, regarde vers l'Ouest bien davantage que vers l'Est ; une Amérique plus réactive que proactive. Tel est le panorama.

Que reste-t-il, à ce compte-là, de l'atlantisme ? Ce ne seront plus, nous le savons, la symbiose des sociétés civiles, le partage d'une mémoire, une communauté de valeurs au-delà du culte du marché et de l'opinion publique qui en constitueront le terreau. La guerre froide a fait du lien atlantique une image d'Epinal : les quarante années de solidarité, finalement victorieuses face au communisme, nous ont permis d'oublier les difficultés de Roosevelt pour entraîner son pays dans un conflit pourtant manichéen et l'avantage qu'il lui a fallu tirer, à cet égard, de la « divine surprise » de Pearl Harbor. De même qu'il a été le vrai père de la construction européenne, Staline fut le meilleur parrain de l'alliance atlantique. Ainsi, même à une époque où les Etats-Unis étaient dirigés par une élite viscéralement attachée à l'Europe, l'atlantisme n'était pas, de leur côté, un réflexe spontané. Le communisme disparu, la hiérarchie des priorités s'est instantanément modifiée. Les *Mémoires* de Bill Clinton, et plus encore l'index des noms cités dans l'ouvrage, constituent à cet égard, une fascinante leçon. L'Europe est une préoccupation marginale pour ce Président, si europhile fût-il, et les Major, Blair, Mitterrand, Chirac, Kohl, Schröder ne pèsent guère dans son agenda aux côtés de Moubarak, Fahd, Eltsine, Poutine, Li Peng, Hussein, Rabin et autres. Leur orgueil dût-il en souffrir, Mitterrand et Chirac ont compté dans les préoccupations de Clinton à peine plus que les Présidents successifs de la Confédération helvétique dans les leurs. Encore étions-nous au début du processus. Imaginons le même agenda, dans vingt ans, quand siégeront ensemble un Président américain né d'une mère, lointaine descendante d'esclave africain et d'un père chinois, un Vice-Président hispanique, un Secrétaire d'Etat sino-américain et un Secrétaire à la Défense indo-américain, avec peut-être comme simples secrétaires de séance, un universitaire *wasp* et un ancien responsable de *think tank*[1] descendant d'une lignée de Juifs allemands.

Demeurera certes un domaine de vraie solidarité atlantique : l'économie et le commerce

---

1. Centre de réflexion.

international. Etonnant retour des choses alors qu'autrefois, même aux meilleurs moments de la lune de miel, ceux-ci constituaient les seules pommes de discorde entre l'ancien et le nouveau monde. L'Europe ayant adopté, sous la pression des marchés de capitaux, le modèle américain de capitalisme, les intérêts sont devenus mécaniquement identiques, dès lors que sont en jeu les règles du système financier : transparence, gouvernance, libre circulation des services et des capitaux, mécanismes de régulation et surtout conceptions voisines de la concurrence qu'incarne l'alliance de fer entre la *Federal Trade Commission* et la Commission de Bruxelles. Aujourd'hui dominant, ce capitalisme-là n'a pas besoin du soutien explicite des Américains et des Européens, mais il en ira différemment demain, quand il sera concurrencé par des modèles chinois, indien, voire brésilien ou indonésien avec une philosophie, une organisation et des aspirations de tout autre nature. La scène monétaire qui a vu si longtemps s'affronter le dollar et des devises européennes autrefois éparses connaîtra, elle aussi, une transformation. Au-delà de tensions minimes entre eux, le dollar et l'euro seront solidaires, face à l'émergence des nouvelles monnaies asiatiques. Là aussi, en matière de règles de fonctionnement, de principes de régulation bancaire et financière, de ratios prudentiels, de contrôle des échanges, se manifestera une convergence d'intérêts entre les vieilles nations atlantiques. Ce ne sera que la transcription des changements de rapports de forces à l'œuvre en matière de commerce international.

Alors que pendant des décennies, les négociations commerciales donnaient lieu à un psychodrame rituel entre des Etats-Unis libre-échangistes et une Europe aiguillonnée par la France, plus protectionniste dans le domaine agricole, les discussions de Doha et de Genève ont permis de planter un décor différent. Face à l'action concertée des nouveaux Grands réunis dans un club, le « G 20 », autour de la Chine, de l'Inde, du Brésil et de l'Afrique du Sud, Américains et Européens se sont retrouvés sur maints sujets du même côté de la barricade. Ce n'était que le début d'un processus irréversible. L'irruption de la Chine et de l'Inde dans le jeu économique mondial jouera le même rôle que l'existence de l'Union soviétique autrefois sur le plan stratégique : elle rendra solidaire, du moins sur ce terrain-là, le vieux monde atlantique. Mais à moins de croire, avec la foi du marxisme le plus conformiste, que l'économie modèle les sociétés, les politiques et les stratégies en fonction de sa propre logique, ne surestimons pas les conséquences de l'atlantisme économique et financier. Il ne fera ni converger les valeurs et les références des sociétés civiles, ni apparaître des liens stratégiques prédominants.

Entre un « pays monde » – les Etats-Unis – et un « OVNI institutionnel » – l'Europe –, les différences iront croissant. L'affaire irakienne a été, de ce point de vue, une anticipation plus qu'une exception. Ce sont les opinions publiques, plus encore que les responsables politiques, qui ont divorcé. Sans doute la raideur de nuque de George Bush et le bonheur de Jacques Chirac de jouer la partition gaulliste la plus traditionnelle ont-ils donné une violence particulière à l'affrontement. Mais au-delà de la guerre picrocholine des mots et des postures, s'est affirmé un mouvement de longue haleine. L'Europe se constitue plus rapidement sous la forme d'une opinion publique commune que d'institutions régaliennes. Et de Londres à Vilnius, d'Helsinki à Lisbonne, de Madrid à Athènes se met en place un corpus de plus en plus homogène de références, de réflexes, de comportements, à mille lieues de celui que fabrique, outre-Atlantique, un *melting pot* d'un nouveau genre.

Mesurer cette réalité, pressentir un éloignement inévitable, pondérer les sujets de convergences et de divergences devrait permettre de gérer en souplesse cette évolution, au lieu de la vivre soit avec désespoir, soit avec une joie maligne. C'est évidemment au cœur du village gaulois que le risque est, de ce point de vue, le plus grand. L'antiaméricanisme a toujours été l'internationalisme des imbéciles et nous, Français, n'avons cessé de le pratiquer avec concupiscence. Antiaméricanisme de droite qui plonge ses racines dans la vieille tradition réactionnaire ; antiaméricanisme gaulliste qui n'a pas fait litière des avanies imposées par Roosevelt à de Gaulle ; antiaméricanisme communiste et crypto-communiste, né de la solidarité avec l'Union soviétique et qui survit, celle-ci disparue ; antiaméricanisme de la nouvelle extrême gauche au nom du refus du capitalisme ; antiaméricanisme des écologistes à cause de l'irresponsabilité du premier pollueur mondial ; antiaméricanisme des intellectuels de tous ordres lovés dans les avantages douillets de « l'exception culturelle » ; antiaméricanisme des antisionistes déclarés et des antisémites ; antiaméricanisme des zélotes de la langue française, malades devant l'émergence d'un nouvel espéranto ; antiaméricanisme des penseurs de Saint-Germain-des-Prés, des beurs des quartiers difficiles, des journalistes en mal de grands combats, des hommes politiques en quête de boucs émissaires... Tous stigmatisent les Etats-Unis du passé ; ils n'ont mesuré ni leur transformation en « pays monde », ni les conséquences que celle-ci induit sur la place même de l'Amérique dans le monde.

Leurs fantasmes en seront-ils aggravés ? Leurs phobies seront-elles encore plus violentes ? Ou, au contraire, une Amérique plus lointaine leur paraîtra-t-elle moins menaçante ? Une Amérique syncrétisme du monde rassurera-t-elle les plus internationalistes du camp antiaméricain ? Un clivage apparaîtra-t-il entre les antiaméricains de droite, encore plus horrifiés de voir s'étioler l'omnipotence blanche outre-Atlantique, et les antiaméricains de gauche sensibles à l'émergence des nouvelles minorités ? Serait-ce un pari optimiste d'espérer que l'unanimisme antiaméricain volera en éclats, permettant de gérer, dans un meilleur climat, la nouvelle relation ? Encore faudrait-il que, de l'autre côté de l'échiquier, chez les militants atlantistes le réalisme finisse aussi par prévaloir : les Etats-Unis de leur passion, puis de leur rêve, enfin de leurs illusions sont morts. Aussi ne revivront-ils jamais les grandes messes solidaires d'autrefois.

L'Amérique aimée par Jean Monnet a été engloutie par l'Histoire. L'OTAN n'est plus qu'une figure rhétorique. A nouvelle Amérique, nouvelles relations. Un « pays monde » n'est l'allié de personne, l'obligé d'aucun passé, l'héritier d'aucun devoir historique. Il ne doit susciter ni sympathie aveugle, ni antipathie viscérale : l'évolution des Etats-Unis crée un nouvel état de fait ; nous devons nous y adapter avec lucidité et empathie.

2

La Chine
ou le capitalisme d'apocalypse

_____

E xiste-t-il un jeu plus à la mode en Occident que se donner des émotions avec
des prévisions apocalyptiques sur l'irrésistible ascension de la Chine, de l'Inde et
accessoirement du cortège de pays asiatiques
qui les accompagne, de la Corée à l'Indonésie,
de la Thaïlande à Taïwan, sans même compter un Japon que nous sous-estimons sans
doute autant aujourd'hui que nous l'avons hier
surestimé ?

Mais les chiffres bruts font litière de la véritable interrogation : le modèle d'économie de
marché asiatique se moulera-t-il sur les canons
du libéralisme occidental, avec son jeu classique
de pouvoirs et contre-pouvoirs ? Ou se mettra-
t-il en place un « mode de production asiatique » pour reprendre, en lui donnant un sens
nouveau, l'expression utilisée par Marx dans sa

Contribution à la critique de l'économie politique ? Celui-ci mettait en exergue le rôle joué en Chine par les mandarins dans les circuits économiques, et en Inde par les brahmanes. Il n'imaginait pas que sa prophétie sur l'irruption d'un « capitalisme monopoliste », dévoreur des principes de la démocratie bourgeoise et exerçant une autorité de fer sur la société civile, se trouverait démentie dans un premier temps en Occident avant, peut-être, de s'accomplir dans la Chine du XXIᵉ siècle et évidemment dans tous les pays satellites qui s'aligneront sur elle. Si, par une ruse de l'Histoire, la prophétie marxiste finit par triompher dans une Chine qui n'aura conservé de l'ère communiste qu'un parti oligarchique, héritier du mandarinat d'autrefois, l'Occident pourra, cette fois-ci, trembler : Victor Hugo et Alain Peyrefitte auront eu raison, par des voies aussi impénétrables que celles du Seigneur...

Mais ne trichons pas avec le rite du frisson. En 1987, la Chine n'était que la douzième puissance économique du monde (en termes de produit intérieur calculé en dollars courants), à peine devant les Pays-Bas. En 2002, elle a rejoint le peloton constitué par le Royaume-Uni, la France et l'Italie. Si l'on calcule le PIB en parité de pouvoir d'achat, ce qui neutralise la sous-évaluation du taux de change, le

45

produit intérieur chinois a été, cette année-là, le second du monde, après les Etats-Unis et devant le Japon. Ce résultat traduit une croissance moyenne annuelle sur 20 ans de 10,2 %. Sur la décennie 1992-2002, le PIB chinois a été multiplié par 4 contre 1,2 en France. Sur les deux décennies 1982-2002, il a été multiplié par 6,4 contre 1,5 en France et 1,7 aux Etats-Unis, performance très supérieure à la nôtre, même aux temps bénis des « Trente Glorieuses ».

En dollars courants, sur la période 1992-2002, la Chine a vu son PIB progresser de 850 milliards de dollars, contre seulement 330 pour toute la zone euro. Au rythme de croissance du produit intérieur par tête entre 1992 et 2002 (en parité de pouvoir d'achat) il lui faudrait environ 16 ans pour rejoindre le niveau français actuel et 25 ans pour rattraper le niveau français la même année, 20 ans et 32 ans pour atteindre les mêmes objectifs vis-à-vis des Etats-Unis. Près de la moitié du PIB chinois (43,4 % en 2002, soit 550 milliards de dollars) est épargnée, alors qu'avec leurs 14 ou 15 %, les Français semblent déjà des fourmis et que les Américains ont une épargne négative, c'est-à-dire s'endettent. L'épargne chinoise représente près de 10 % de l'épargne mondiale, soit presque la moitié de l'épargne japonaise. En termes de commerce international, la Chine générait 5 %

des exportations mondiales en 2002, contre 1,5 % dix ans plus tôt.

Les chiffres ayant trait à la consommation finale sont évidemment encore plus vertigineux. Depuis dix ans, le nombre de téléphones mobiles double chaque année ; le parc installé est désormais supérieur à celui de l'Union européenne pour un taux d'installation qui n'atteint encore que 16 %. Il y a plus d'ordinateurs dans les écoles et universités chinoises qu'en France et en Grande-Bretagne réunies, et plus de télévisions installées que dans la zone euro et les Etats-Unis réunis !

Quant à l'Inde, elle est décalée d'une génération par rapport à la Chine : son PIB a crû de 1992 à 2002 de 5,9 % par an, mais cette croissance a été en partie absorbée par l'augmentation de la population (+ 1,7 % contre 0,9 % en Chine) et son produit intérieur par tête devrait attendre 40 ans, à ce rythme-là, pour rejoindre le niveau français actuel. Quant à la consommation de masse, elle est encore limitée à une étroite couche de population : seuls 8 % des Indiens disposent d'une télévision et 1 % d'un téléphone mobile.

L'air du temps, du moins dans le village gaulois, exige de penser que l'avènement de la

Chine et de l'Inde rend obsolètes les lois traditionnelles du libre-échange : les principes de Ricardo seraient donc condamnés par un phénomène d'une ampleur imprévisible. Avec quelle joie maligne les contempteurs de l'économie de marché s'accrochent-ils à ce raisonnement ! Voilà un argument qui leur permet de reprendre l'offensive et de condamner à visage découvert ce qu'ils faisaient semblant d'accepter à leur corps défendant ! Nos militants hexagonaux se trompent néanmoins de combat. Les règles ricardiennes n'ont jamais fonctionné avec autant de bonheur qu'à l'occasion de l'entrée en scène de ces nouveaux acteurs. D'innombrables emplois s'exilent en effet en Chine, en Inde ou demain dans les pays périphériques. Emplois industriels en transit vers le sous-continent chinois, non seulement à cause des écarts irrésistibles de coût du travail, mais aussi parce que la Chine possède, au-delà de ses ouvriers peu payés et formidablement productifs, un encadrement qui, d'année en année, se rapproche des critères occidentaux – formation universitaire américaine oblige –, une capacité financière d'investissement assise sur les plus importantes réserves de change du monde et enfin l'adjuvant que donne un chromosome capitaliste peu commun. Si l'on croit que certains peuples possèdent ou non le chromosome capitaliste, plus banalement le sens du profit ou plus vulgairement la « bosse du commerce », les Chinois sont sans rivaux : *a contrario* par exemple, des Russes, inaptes à sécréter de vrais entrepreneurs et capables exclusivement de pratiquer, à travers leur oligarques, ce que Marx appelait « le capitalisme comprador », un capitalisme d'importateurs, de prévaricateurs et de détenteurs de rentes.

D'un côté, donc, un aimant d'une puissance exceptionnelle, qui attire les investissements du monde entier et qui, après être devenu l'atelier industriel des Etats-Unis, s'imposera aussi comme l'usine de l'Europe, voire de pays en développement aux atouts manufacturiers moins affirmés.

Mais de l'autre côté, c'est un formidable accélérateur qui stimule par ricochet des pans entiers de l'économie mondiale. Quels sont les bénéficiaires du moteur chinois ? Des pays : fournisseurs de pétrole et de matières premières, producteurs de denrées agricoles, détenteurs de technologies. Des multinationales : entreprises de consommation et de distribution fascinées par ce marché sans limites ; spécialistes de biens intermédiaires, de services collectifs, de techniques de pointe ; banques et assurances qui, une fois l'ouverture du marché accomplie, se précipiteront sur la manne que constituent l'épargne locale et les réserves de clientèle en quête de services financiers modernes. Des intermédiaires : transporteurs maritimes qui avaient perdu le souvenir de besoins aussi inassouvis ; banques d'affaires qui voient miroiter des transactions pharaoniques ; agents d'influence de tous acabits qui s'approprient les clefs d'entrée dans un univers décisionnaire, opaque, hermétique et corrompu. A ce jeu des effets induits, l'Europe est certes la plus mal placée, n'ayant ni l'audace des Américains pour déplacer, le cœur léger, son atelier industriel, ni l'essentiel des matières premières et des denrées agricoles dont la Chine est si boulimique. Mais même repoussée en deuxième ligne, elle ne peut être, elle aussi, que bénéficiaire du surcroît de croissance que les Chinois apportent au monde. Des économètres pourraient s'amuser à démontrer qu'au lieu d'offrir un désaveu tardif des lois de Ricardo, l'explosion économique chinoise en constitue, par son ampleur, la plus éclatante validation.

Pourquoi, dans une interrogation de type ricardien, la spécialisation de la Chine se limiterait-elle à l'industrie ? Au nom de quel étrange principe de répartition des savoir-faire, les usines iraient-elles vers la Chine et les services vers l'Inde ? C'est, remise au goût du jour, la question même de Ricardo sur le vin portugais et la laine anglaise[1]. La réponse est simplissime : la connaissance ou la méconnaissance de la langue anglaise. Les Britanniques ont légué aux Indiens ce qui constitue la clef des services : le maniement de l'espéranto contemporain. Informatique, traitement à distance, *call centers*[2] : la maîtrise de l'anglais est décisive. De ce point de vue, les Chinois – hormis une fine couche de la population – sont invalides ; ils ne pourront jamais rattraper ce retard. Ultime argument, enfin, que la Chine apporte à la vieille règle des avantages comparatifs : la spécialisation industrielle à son profit ne crée pas de chômage dans les pays riches, si ceux-ci ont la souplesse nécessaire pour jouer intelligemment des flux de valeur ajoutée, comme le font les Américains. Ce sont les plus dynamiques de tous pour délocaliser et ils connaissent néanmoins un quasi-plein emploi. Ils démontrent à nos nouveaux physiocrates ou autres militants des politiques industrielles qu'à certaines conditions, la désindustrialisation n'est pas synonyme de chômage. Il en va de même, notons-le, au Royaume-Uni, économie qui a fait

---

1. Ricardo utilise l'exemple du vin portugais et de la laine anglaise afin de montrer que chaque pays doit se spécialiser dans les secteurs où ses avantages comparatifs sont les plus grands.
2. Plates-formes d'accueil téléphonique.

une croix sur son industrie et qui ignore néanmoins le chômage.

Ce n'est donc pas l'irruption de la Chine parmi les grands acteurs industriels qui, délocalisations ou non, crée un risque pour les vieux pays riches. L'apparition d'un modèle capitaliste spécifique sera, à long terme, beaucoup plus perturbatrice. Modèle particulier ou, plus banalement, développement du capitalisme tel que Marx en avait pressenti la dynamique – démiurgique, totalitaire, monopoliste, tutélaire et écrasante –, c'est-à-dire un capitalisme que n'auront tempéré ni les contre-pouvoirs inventés par le jeu démocratique, ni les contrepoids de la social-démocratie. Quels ont été, en effet, en Occident, les grains de sable qui ont fait dérailler la prophétie marxiste ? Les règles de protection de la concurrence au nom de la défense des consommateurs : elles ont interdit l'émergence des acteurs monopolistes qu'appelle la logique mécanique du marché. La multiplication des législations qui encadrent le fonctionnement des entreprises : elles ont été produites par un pouvoir politique qui ne fait pas corps avec le complexe industrialo-technocratique, car il doit rendre des comptes à ses électeurs. Les politiques sociales et la redistribution : elles ont été imposées par les luttes ouvrières, l'existence de syndicats puissants et l'affirmation idéologique de la social-démocratie.

En ira-t-il de même en Chine ? Le vieux postulat libéral selon lequel le marché engendre toujours, fût-ce avec un retard à l'allumage, la démocratie se vérifiera-t-il à Pékin ? Le pouvoir chinois sera-t-il contraint de laisser un espace aux conflits sociaux et, plus prosaïquement, la classe ouvrière suivra-t-elle le même parcours de combat que ses prédécesseurs occidentaux ? Le libéralisme économique favorisera-t-il le libéralisme politique et l'émergence d'acteurs collectifs ? Telle est l'interrogation cardinale. Soit la taille, l'histoire, les traditions ne changent rien aux mécanismes qui ont prévalu en Occident et la Chine ressemblera économiquement à un énorme Japon dont les rouages demeurent compatibles, malgré mille spécificités, avec les exigences d'une économie de marché de type occidental. Soit l'équilibre se perpétue entre une économie dérégulée, un pouvoir politique violemment autoritaire et des élites oligarchiques, résurgence contemporaine du mandarinat, s'arrogeant le monopole de l'argent, des places et des prébendes : un Singapour à la puissance mille ! Ce sera alors un capitalisme d'apocalypse qui se sera installé en Asie et dont la puissance finira par perturber notre propre système d'économie de marché, modi-

fiant ses paramètres de manière systématique-
ment négative.

Capitalisme d'apocalypse : l'existence d'une
base de départ qui réunit, dans une grande
Chine économique, la Chine continentale,
les « porte-avions » que constituent Taiwan,
Hongkong, Singapour, la diaspora chinoise en
Asie et aux Etats-Unis.

Capitalisme d'apocalypse : la naissance de
monopoles privés à l'échelle d'une économie
continent, qui n'auront de cesse d'étendre leur
influence dans le monde entier.

Capitalisme d'apocalypse : l'absence de règles
de gouvernance et de transparence avec, pour
corollaire, un fonctionnement encore plus
opaque, plus mafieux que n'en a connu le Japon
dans ses belles années.

Capitalisme d'apocalypse : l'absence de syndicats puissants, l'inexistence des grèves, le
rejet, spontané ou imposé, des conflits sociaux,
l'impossibilité de mener des débats collectifs, la
neutralisation des médias.

Capitalisme d'apocalypse : l'irruption de
groupes gigantesques, à l'échelle mondiale, qui
abuseront de leurs positions de force et essaie-

ront de s'affranchir des règles civilisées de fonctionnement que nous avons mis des décennies à fabriquer. Quel serait, pour l'Occident, l'événement le plus prometteur en Chine ? Une grève générale salariale ! Ce n'est pas demain la veille...

Face à cette vision, les vieux pays riches se rassureront en pensant que cohabiteront deux système capitalistes, l'un occidental et tempéré, l'autre chinois et brutal, comme vécurent côte à côte sur le plan stratégique, pendant des décennies, le monde atlantique et le camp soviétique. Mais ce sera un rêve éveillé. Les adversaires de la guerre froide respectaient en effet soigneusement une frontière physique et stratégique. Ce n'est pas possible en économie : les univers sont miscibles ; ils s'interpénètrent ; ils échangent produits, technologies, capitaux ; ils s'influencent mutuellement. Or, au jeu de l'ascendant, le modèle chinois risque de dominer le modèle occidental et donc de l'obliger à modifier son fonctionnement et sa manière d'être. Ce ne sera pas dans le sens d'un accroissement des régulations et des contre-pouvoirs.

Entre les deux hypothèses – le triomphe, comme à l'accoutumée, du vieux précepte libéral, le marché accouchant de la démocratie ; ou, à l'inverse l'accomplissement de la prophétie de

Marx à travers l'émergence imprévue d'un capitalisme spécifique à la Chine –, je parie sur la seconde. Lorsque l'économie de marché a bousculé les régimes autoritaires en Amérique du Sud, elle bénéficiait de l'exemple, voire de la pression des vieux pays riches, Etats-Unis en tête. Rien de pareil ne se produira en Chine : l'idée même d'un modèle occidental à imiter ferait rire les Chinois. Trop puissante, trop autonome, trop fière de son passé, trop méprisante à l'égard des jeunes civilisations comme la nôtre, la société chinoise n'a aucune raison de respecter l'enchaînement classique entre le marché et la démocratie pour se conformer aux traditions en vigueur ailleurs. Si elle suit néanmoins ce chemin-là, ce sera de son propre mouvement. Or les contre-feux aux mécanismes spontanés du capitalisme ne ressemblent pas à des météorites tombées du ciel. Ils naissent d'un long processus. Ainsi des lois en matière de concurrence : ce sont des décennies d'évolution philosophique et jurisprudentielle qui débouchent sur le démantèlement de la *Standard Oil of New Jersey*. Ainsi de la lente émergence des droits sociaux scandée par un siècle de luttes et de compromis. Ainsi des règles de protection de l'environnement issues de cinquante ans de militantisme et de débats politiques. Même si la société chinoise se met en mouvement, son capitalisme aura atteint le stade apocalyptique avant que les contre-feux commencent à apparaître.

Voilà donc l'horizon, avec pour nous un risque jusqu'alors imprévu : nos sociétés avaient échappé à coups d'intelligence collective au destin que leur avait promis Marx. Celui-ci se rappelle à notre souvenir, à travers un détour insolite par la Chine.

C'est la vraie menace chinoise. Elle est beaucoup plus tangible que les risques stratégiques sur lesquels planchent les experts des *think tanks* : reconquête militaire de Taïwan ; tentation d'un affrontement avec l'Inde, malgré les aléas nucléaires ; politique impériale vis-à-vis de la Corée et des autres pays asiatiques ; relations avec le Japon oscillant entre la méfiance et l'hostilité ; et surtout corps à corps avec les Etats-Unis, mêlant intérêts économiques, bras de fer monétaire, rivalité impériale, complicité inavouée ou hostilité latente et donnant lieu à tous les *scenarii* possibles : coopération, semi-coopération, tension, voire guerre froide ou même escarmouches « chaudes » dans l'hypothèse d'une invasion délibérée de Taïwan. Ces développements-là sont imprévisibles. Le peuple chinois est trop opaque, les jeux entre acteurs trop complexes, la chimie des décisions trop incompréhensible pour rendre plus ou moins plausible telle ou telle hypothèse.

Tout peut se plaider et son contraire. L'apparition d'un capitalisme chinois agressif pèsera-t-elle sur ces interrogations stratégiques ? Ce serait céder à une vision, cette fois-ci non marxiste mais léniniste, et croire aux vieilles antiennes sur « l'impérialisme, stade suprême du capitalisme », théorie dont l'impérialisme soviétique, par définition anticapitaliste, a fait litière. On peut défendre, sur chacun de ces enjeux, la thèse et l'antithèse. Taïwan ? Une Chine expansionniste sur le plan économique peut se satisfaire d'un *statu quo* dont elle fait le meilleur usage ou vouloir résorber, pour des raisons nationalistes, donc de politique intérieure, cet abcès territorial. L'Inde ? Les deux géants asiatiques peuvent céder, comme d'autres en leur temps, aux charmes d'un Yalta, ou au contraire, trop différents dans leur mode de fonctionnement interne, se laisser entraîner sur un terrain plus belliqueux, sans néanmoins aller jusqu'aux extrêmes. Les relations avec les autres pays asiatiques ? La domination est inévitable mais nul ne peut préjuger de ses formes. Le Japon ? L'interpénétration économique sera trop forte pour permettre l'indifférence, mais tout est imaginable, depuis un cousinage imprévu sur le modèle franco-allemand, jusqu'à une hostilité tempérée simplement par la prudence et la crainte de susciter d'immenses tensions internationales. Les Etats-Unis enfin ? Washington et Pékin seront chacun l'obsession de l'autre. Mais une relation obsessionnelle n'est pas obligatoirement conflictuelle. Avec des intérêts économiques aussi immenses sur la table, les deux joueurs peuvent choisir, suivant l'idiome des stratèges en chambre, une posture « gagnant-gagnant », « gagnant-perdant » ou « perdant-perdant » : c'est une affaire de tempéraments nationaux, de comportements individuels, d'inconscients collectifs. La probabilité la plus forte est sans doute de voir se succéder, dans un ordre imprévu et sans cesse remis en cause, ces diverses configurations. Impériale économiquement, la Chine voudra aussi l'être stratégiquement, suivant des formes aujourd'hui indécelables. Mais passer de la victoire insolite de la prophétie de Marx à l'assertion militante de Lénine relève de la pure conjecture.

Le modèle capitaliste chinois va-t-il modeler l'Asie entière à son image ? Que l'Inde suive les traces macroéconomiques de la Chine avec une génération de retard relève de l'évidence. Avec les services – grâces soient rendues au legs linguistique du colonisateur britannique – à la place des usines. Avec une même capacité de s'approprier les technologies les plus développées. Avec des réserves de change de plus en plus impressionnantes, placées pour l'essentiel en bons du Trésor américain, même si l'euro semble plus attirant à Delhi qu'à Pékin. Avec un commerce extérieur fortement excédentaire vis-à-vis des pays riches – sous-traitance oblige – mais déficitaire à l'égard des fournisseurs de pétrole, de matières premières et de denrées agricoles. Avec, enfin, à l'instar de la Chine, un effet expansionniste pour l'économie mondiale dont les acquis, en termes de croissance marginale pour les pays riches, sont plus importants que les délocalisations de sous-traitance informatique, d'activités comptables ou de *call centers*.

D'immenses groupes capitalistes se développeront évidemment sur un terreau aussi porteur. Ressusciteront-ils, eux aussi, la prophétie de Marx ? Probablement pas car, si le marché ne suffit pas à accoucher de la démocratie, celle-ci, lorsque par chance elle préexiste au marché, sait lui imposer des contre-pouvoirs. L'Inde est, en effet, un cas singulier, voire unique. La démocratie a cohabité, des décennies durant, avec une économie planifiée, bureaucratisée, presque soviétisée, à quelques enclaves libérales près : la rigidité du système économique n'en a guère perturbé le fonctionnement, corruption mise à part, mais à l'inverse, l'effervescence démocratique ne s'est pas diffusée dans la sphère productive, jusqu'au jour où les pouvoirs publics ont fait consciemment le choix de la libéralisation. Mais lorsqu'ils avancent alors sur cette voie, ils le font avec l'expérience des *checks and balances* britanniques, l'habitude des règles de droit, la tradition de la jurisprudence. De là le pari : le capitalisme indien sera encadré par une législation de protection de la concurrence, des autorités boursières raisonnablement attachées aux droits des investisseurs, des codes réglementaires d'inspiration occidentale. De même les acteurs sociaux continueront-ils à être, comme aujourd'hui, légitimes, le droit de grève naturel, la contractualisation des relations du travail plausible. Cela suffira-t-il à établir les prémisses d'une social-démocratie ? Rien n'est moins sûr. Mais un capitalisme, si puissant soit-il, qui baigne dans les habitudes et les institutions d'une démocratie, ne peut qu'éviter un destin trop monopoliste, trop brutal, trop impérialiste. Comment ne pas être optimistes, de ce point de vue, à l'égard de l'Inde ? Un pays dont la démocratie est un miracle sans cesse renouvelé devrait maîtriser raisonnablement ses instincts capitalistes. L'Inde risque donc de ressembler davantage au Japon qu'à la Chine.

Qu'il est loin, le temps où les Occidentaux fantasmaient sur le danger nippon ! D'aucuns pourraient d'ailleurs retourner l'argument et affirmer que la psychose vis-à-vis du capitalisme chinois de demain ne fait que reproduire les craintes de l'Occident, il y a vingt ans, vis-à-vis de *Japan Inc.* Ce serait faire litière d'une différence essentielle : même porté par l'*ubris*, le capitalisme nippon se développait à l'intérieur des règles de l'Etat de droit que Mac-Arthur avait légué, d'une main de fer, aux Japonais. Sans doute l'oligarchie fonctionnait-elle dans l'opacité, les *Zaïbatsu* respectaient-ils la transparence d'une manière originale, les pouvoirs politiques et économiques s'épaulaient-ils sans vergogne, les organismes juridictionnels surveillaient-ils les grandes entreprises avec un sens bizarre de la concurrence, les syndicats agissaient-ils dans un strict respect des intérêts patronaux mais *Japan Inc* demeurait bridé, ses pulsions dominatrices étaient encadrées et ses tendances impériales semblaient contenues. C'est à ce Japon première manière que devrait ressembler le capitalisme indien.

Laminé par une décennie de stagnation, d'inlassables restructurations et une quête inassouvie de réformes libérales, le Japon deuxième manière est, lui, presque un clone du capitalisme occidental : il ne relève plus du mode asiatique de production. Handicapé par un irrémissible vieillissement, mal à l'aise devant la perspective d'une immigration inévitable, le Japon ressemble chaque jour davantage, en fait, à l'Allemagne, sans bénéficier de l'adjuvant du *Drang nach Osten*[1]. Aussi se risquera-t-il encore moins demain qu'hier à contester l'influence américaine : apeuré devant les coups de patte du géant chinois, il se lovera à l'abri de l'ombrelle de protection américaine et sera un créancier dévoué des Etats-Unis, même si un recul brutal du dollar empiète une partie de la valeur de son capital. Ce n'est pas du côté de Tokyo que se profile la moindre menace pour l'Occident.

La Chine ne ferait-elle donc pas d'émule en Asie avec son futur capitalisme d'apocalypse ? Même si son modèle devait demeurer une exception, sa force suffira plus que largement à en faire un facteur de déstabilisation mondiale. Elle sonnera le glas d'un ordre économique international, immensément civilisé, équilibrant le jeu du marché et l'existence de contrepoids. Les adversaires de la « mondialisation anarchique » ou du « libéralisme débridé » sont naïfs ; ils ne mesurent pas combien les militants de

---

1. La marche vers l'Est : objectif de l'Allemagne bismarckienne.

demain, leurs successeurs, seront nostalgiques d'une situation qu'eux-mêmes aujourd'hui contestent. Ils verront les institutions multinationales, les embryons de régulation encore en place, ployer sous le poids d'acteurs économiques qui, même sans arrière-pensée dominatrice, seront prisonniers d'une logique de puissance. « Capitalisme monopoliste d'Etat » – suivant la rhétorique d'hier ; monopoles privés ; oligarchies semi-politiques, institutions *sui generis* : peu importent les formes juridiques, la prophétie de Marx triomphera.

3

Invincible Occident ?

Faut-il s'inquiéter du triomphe, dans vingt ans et via la Chine, de la prophétie de Marx, alors que nous dansons sur un baril de poudre ? Réaction naturelle de la part de ceux, innombrables, qui depuis le 11 septembre 2001, croient l'Occident en guerre.

La tentation est grande de voir dans le terrorisme type Al-Qaïda, non la résurgence, par le détour du messianisme religieux, d'un mode d'action engendré autrefois par l'eschatologie révolutionnaire, mais un phénomène d'une radicale nouveauté. Troisième guerre mondiale, guerre d'un nouveau type, conflits de civilisations : que n'avons-nous entendu depuis trois ans... Or, à rebours de cette *doxa*, on peut considérer que depuis le 11 septembre, la société occidentale a fait, une fois de plus, la preuve de sa plasticité, donc de son invulnérabilité. C'est – pensée iconoclaste – moins le terrorisme qui la menace, c'est-à-dire la haine de l'Occident par des non-Occidentaux, qu'une détestation de l'Occident venue du plus profond de lui-même. Nous nous accommoderons du risque extérieur ; nous risquons d'être désarmés devant une radicale hostilité que nous avons nourrie en notre sein et qui échappe aux catégories rassurantes du vieux conflit de classes.

Quelles leçons tirer, avec le recul, du 11 septembre ? L'incroyable maîtrise des mécanismes de la société médiatique par des esprits fanatiques que tout éloigne pourtant d'elle. Ses ressorts sont plus familiers à Ben Laden que ceux de la société bourgeoise à Marx. L'ennemi nous comprend et nous connaît, alors que nous l'analysons avec la plus fruste des grilles de lecture. Ben Laden n'est pas l'héritier lointain de Netchaïev : ce n'est pas un nihiliste inapte à comprendre le fonctionnement de l'ennemi, comme en leur temps les anarchistes russes ; il pourrait, au contraire, enseigner « la communication de crise » à Harvard... L'utilisation, poussée jusqu'à l'extrême, de l'arme du faible par rapport au fort : 500 000 dollars, quelques cutters, de la minutie, une formidable intelligence tactique et l'acceptation du sacrifice. La contradiction entre la médiocrité des moyens utilisés et la disponibilité, à travers le monde, d'armes nucléaires miniatures en déshérence depuis l'effondrement de l'Union soviétique, comme si l'ennemi n'était, du moins jusqu'à présent, ni assez riche, ni assez organisé pour se procurer de véritables instruments de terreur. L'absence, là aussi jusqu'à nouvel ordre, de liens entre l'ensemble des braconniers qui arpentent la planète : terroristes islamistes, mafieux de tous acabits, trafiquants de drogue, spécialistes du blanchiment, rois de l'ombre qui, tous, profitent des zones de non-droit en développement permanent ; une contre-société ne cesse de prospérer en aval de la nôtre, mais ceux qui y appartiennent s'ignorent ou se haïssent pour notre plus grande chance. Peut-être la réalité se vengera-t-elle demain, nous montrant que le pire était plausible. Mais de toute façon, même si nous n'avons, comme hier, en face de nous que des bricoleurs de génie, ils sont capables avec la même imagination que la première fois, de nous traumatiser.

Traumatisés, certes nous l'étions, mais quelle formidable plasticité, quelle extraordinaire résilience la société occidentale a-t-elle démontrées. Plasticité : l'incroyable capacité d'encaisse des marchés financiers. Il a suffi que faisant preuve d'empirisme, au mépris de ses principes théoriques de prudence, la *Federal Reserve* inonde d'argent les marchés, comme un pompier noie un incendie sous l'eau : cette thérapie d'un classicisme absolu, que la FED pratique à chaque crise financière, a eu la même efficacité que d'habitude. Le choc a été effacé en quelques semaines. Plasticité : l'attitude des consommateurs qui, hormis dans quelques domaines, tel le tourisme, durablement délaissés, n'ont en rien bouleversé leur mode d'achat, transformant au moins sur ce plan-là le 11 septembre en non-événement. Plasticité : le comportement des autorités publiques qui, passant outre aux règles officielles, ont su faire les entorses nécessaires au bon fonctionnement de la Bourse ou du transport aérien. Plasticité : l'acceptation par des citoyens de plus en plus rebelles aux réglementations, de contraintes de sécurité. Plasticité : la schizophrénie des individus qui leur permet à la fois d'être émus au souvenir du 11 septembre et de l'avoir chassé de leur esprit. C'est, comme l'a noté Anthony Giddens, le syndrome du conducteur qui a vu un accident de la route, ne croit plus, sur l'instant, à sa propre invulnérabilité et retrouve rapidement ses habitudes, y compris les plus imprudentes. Plasticité, enfin : l'acceptation tacite du risque terroriste, au même titre que les accidents de la route, les traumatismes cardio-vasculaires, les explosions des conduites de gaz.

La force de la société occidentale est sa capacité d'avaler les événements les plus rudes, d'en émietter les conséquences et de retrouver, tel un culbuto, son équilibre. On pouvait imaginer, en septembre 2001, deux *scenarii* : soit une évolution vers une société à l'israélienne ; soit la libération de la violence latente au cœur de nos collectivités. La seconde hypothèse supposait que les agresseurs terroristes fassent tomber le tabou de la violence : celle-ci se serait répandue dans la société, un peu comme le pouvoir dans l'esprit de Michel Foucault était partout et nulle part. Des individus qui se font justice ; des locataires qui règlent brutalement leurs problèmes de voisinage ; des salariés qui agressent leurs patrons ; des adolescents qui lèvent la main sur leurs professeurs . autant de symptômes d'une malveillance, jusqu'alors contenue, qui se serait libérée. Nous n'avons rien connu de tel ; l'accroissement de la violence dans la société doit davantage à l'exemple des séries télévisées américaines qu'à une *catharsis* provoquée par l'irruption du terrorisme. C'est en revanche vers une société à l'israélienne que nous avons commencé à nous diriger, c'est-à-dire une société dont la crainte des attentats n'affecte pas le caractère hyper-démocratique, qui réussit à faire entrer les instruments de lutte contre le terrorisme dans le carcan de l'Etat de droit, qui pratique l'auto-surveillance et l'autoprotection, qui vit avec naturel sur le qui-vive. Sans doute les Européens sont-ils mieux armés pour s'adapter sans état d'âme à ce nouveau contexte que les Américains : plus chahutés par l'Histoire, pétris par des malheurs plus nombreux, plus sceptiques, donc plus fatalistes. Si la mémoire historique est le meilleur gage d'adaptation au risque terroriste, il est logique que les Israéliens soient, de ce point de vue, imbattables et que les Européens fassent mieux que les Américains.

Les attentats ont paradoxalement réussi à renforcer le contrat social au lieu de le déchirer. Quels sont les moments d'unanimité nationale que connaissent encore nos sociétés individualistes et narcissiques ? Les triomphes de leurs équipes de football et les deuils collectifs qui suivent une attaque terroriste. Quand, depuis la tentative de coup d'Etat du 23 février 1981, l'Espagne a-t-elle été plus unie qu'après le massacre d'Atocha ? C'est, une fois de plus, le modèle israélien qui prévaut. Qui aurait pu deviner que, rétifs devant la moindre contrainte, nos pays accepteraient sans réticence les contrôles d'identité, les fouilles, les files d'attente ? Qui aurait imaginé que, tout en étant au quotidien indifférents au sort de leurs voisins dans le métro, les voyageurs détecteraient les colis suspects et se protégeraient les uns les autres ? Qui aurait affirmé avec certitude que la psychose saurait rimer avec la démocratie – aux quelques écarts américains près – et que les pouvoirs publics résisteraient si naturellement aux pulsions autoritaires ? Qui aurait parié que, gagnées par la peur, les sociétés occidentales ne céderaient pas à la panique ?

L'essence de notre modèle, c'est sa capacité d'absorber les chocs, de les avaler, de les surmonter : le marché et la démocratie ne sont pas, contrairement aux apparences, des constructions fragiles mais, au contraire, d'exceptionnels amortisseurs. L'infinie capacité de résistance de l'Occident constitue sans doute un des ressorts les plus puissants de l'hostilité qu'il provoque : comment ses ennemis ne détesteraient-ils pas de plus en plus violemment un système qui se déforme sous les chocs, de manière à les absorber et à les effacer ? De là, chez eux, la tentation de taper de plus en plus fort et chez nous la nécessité d'être, à chaque attaque, de plus en plus plastiques. Face au terrorisme, l'Occident paraît invincible.

L'est-il de la même manière, face à la haine qu'il suscite ? On pouvait penser que celle-ci avait connu son apogée au XXe siècle avec le communisme et le nazisme dont la seule matrice commune était, comme François Furet l'avait mis en exergue, la détestation de la démocratie et du marché, donc du modèle occidental. L'un et l'autre disparus, le rêve s'était installé de voir

71

nos valeurs devenir la référence universelle : l'emballement médiatique pour « la fin de l'Histoire » ne faisait que traduire cette aspiration. La réalité s'est vengée plus rapidement que prévu. Sans tomber dans les fantasmagories naïves du type Fukuyama[1], on pouvait espérer que le monde riche susciterait, de façon modérée, jalousie et fascination, hostilité et enthousiasme, réticences et adhésions. Comment pressentir, en revanche, le chaudron idéologique qui s'est mis en ébullition, mêlant dans un mélange sulfureux la haine de la démocratie et du marché, le rejet de l'Occident, l'antiaméricanisme et un antisionisme qui fleure un antisémitisme d'un nouveau genre ? Un système triomphant sécrète ses propres ennemis : après l'engloutissement du communisme, l'apparition d'une contestation nouvelle relevait de l'évidence. Une poussée écologique, un anticapitalisme primaire, un refus viscéral de la mondialisation, un rejet manichéen du marché : autant d'ingrédients naturels de cette idéologie du refus. Mais celle-ci ne supposait la haine ni de la démocratie, ni de l'Occident. Elle réinventait mai 68 dans un contexte différent et nos sociétés libérales se faisaient un plaisir de jouer « au chat et à la souris » avec les nouveaux

---

1. Celui-ci avait, avec un grand succès, prophétisé « la fin de l'Histoire » au moment de la chute du communisme.

marginaux. Sans forces sociales structurées, sans idéologie alternative, sans modèle de substitution, ceux-ci avaient toutes les chances d'être phagocytés. Rien, jusque-là, d'inattendu ou de dangereux.

D'autres fantasmes ont surgi, plus surprenants et plus inquiétants. Une hostilité viscérale vis-à-vis de l'Amérique qui, telle une vague irrésistible, a submergé le tiers-monde, débordant les frontières du seul monde arabe : elle avait pris naissance, même à l'époque de la présidence Clinton, si bienveillante que fût celle-ci ; elle a été freinée, un temps de décence après le 11 septembre ; elle s'est évidemment déchaînée au rythme des faux pas de l'administration Bush. Cette hostilité n'est pas fugitive : une administration sympathique à Washington ne suffira pas à l'effacer. On a pu croire qu'il s'agissait d'un phénomène classique d'amour-haine, de fascination-répulsion, mais la face noire de l'ambivalence ne cesse de prendre le pas, au fil des années, sur sa face claire. Peut-on espérer que plus les masses du tiers-monde verront une Amérique métissée, expression d'un « pays monde », moins elles se sentiront en opposition frontale ? Rien n'est moins sûr : à ce degré de haine, les responsables noirs des Etats-Unis leur apparaîtront comme les « nègres blancs » de l'époque de *La case de l'oncle Tom,* et l'émergence de leaders d'origine asiatique ne devrait guère les rassurer.

L'antisionisme va évidemment de pair avec l'antiaméricanisme. Lui aussi prend une tonalité différente, ressuscitant les vieux poncifs des *Protocoles des Sages de Sion*, retrouvant les racines de l'antisémitisme traditionnel, assimilant les Israéliens, et donc les Juifs, à ce que les nouveaux militants détestent en Occident : le cosmopolitisme, l'internationalisme, le pouvoir, l'argent. Partie des faubourgs du Caire ou de Téhéran, cette onde de choc parcourt le monde entier et vient s'enkyster dans les banlieues déshéritées de Paris ou de Londres.

Suivant une loi traditionnelle de la chimie idéologique, toutes les contestations s'agrègent pour former un mélange détonant. L'hostilité au libre-échange des militants d'ATTAC et autres organisations non gouvernementales fait sa jonction avec l'antiaméricanisme des exclus du tiers-monde et des ghettos urbains ; la condamnation du gouvernement Sharon par les héritiers de l'extrême gauche glisse, sans crier gare, dans la remise en cause de l'existence même d'Israël ; l'antisémitisme des jeunes beurs des banlieues est toléré par les antimondialistes des beaux quartiers, au nom de la solidarité avec les victimes d'un nouveau colonialisme et les réprouvés du système capitaliste. Incroyable salmigondis qui mêle l'Irak, Ben Laden, l'effet de serre, les délocalisations, l'intifada, le mur israélien, les exactions dans les prisons de Bagdad, la tutelle des marchés financiers, l'arrogance de l'administration Bush, la légitimité d'Israël, les organismes génétiquement modifiés, les négociations de l'OMC, l'influence du Mossad... Il suffirait d'un scanner idéologique du cerveau de José Bové pour trouver pêle-mêle tous ces ingrédients.

On peut prendre le parti de rire devant tant d'absurdités. Mais c'est oublier que les idéologies les plus incohérentes sont les plus dangereuses dans un monde dominé par l'opinion publique et les médias. Le regard porté sur Israël par des franges de la société occidentale qui avaient été les plus compréhensives à l'aventure sioniste est un bon baromètre. Les uns s'interrogent sur la possibilité pour un petit pays occidental de demeurer durablement fiché au cœur du monde arabe : ils le font avec aménité et dans un esprit philosémite, sans mesurer qu'une fois levé le tabou, tout devient possible, y compris le pire. Les autres se font une représentation de l'Etat hébreu plus proche de celle d'un pays totalitaire que d'une démocratie. Les derniers voient dans les Israéliens une bizarre communauté, promise au destin des chrétiens maronites du Liban, mais sublimée par l'existence d'une vraie Silicon Valley et protégée par la bombe atomique. Ce n'est pas une vision absurde, dès lors que, privé du réservoir démographique, le sionisme devient une idéologie creuse et que, fatigués par l'évolution politique du pays, nombre de membres des élites intellectuelles préfèrent troquer, fût-ce à titre temporaire, Jérusalem ou Tel Aviv contre Boston ou San Francisco.

Influencées par les préjugés qui se glissent subrepticement au sein des couches éclairées de l'Occident, ces questions sont posées sur un ton aujourd'hui mesuré, qui deviendra demain lourd de sous-entendus et après-demain frappé au coin d'un néo-antisémitisme. Angoisse de Juif, m'objectera-t-on. Je crois être trop peu Juif pour céder à la moindre paranoïa, mais les dérapages de l'antisionisme me semblent être les révélateurs du nouveau précipité idéologique, davantage que sa matrice originelle. La « pensée unique » a changé de camp : elle n'est plus l'expression d'une rationalité pro-européenne, et du primat donné à l'économie sociale de marché ; elle est désormais l'apanage d'un antioccidentalisme qui passe par toutes les tonalités de l'arc-en-ciel idéologique, depuis une critique argumentée de l'économie capitaliste jusqu'à une haine viscérale des Américains et des Juifs, quintessence du mal en action.

Nous serions donc moins menacés par le terrorisme que par des fantasmagories idéologiques. Le goût du paradoxe vous aveugle, m'opposera-t-on : d'un côté les avions-bombes ; de l'autre des idées absurdes. Comment imaginer les secondes plus dangereuses que les premiers ? Il suffit de mesurer la formidable plasticité de l'Occident face à des menaces tangibles et son extrême fragilité à l'endroit de la gangrène des idées. L'une et l'autre sont, en effet, consubstantielles à son mode d'être. Si la société occidentale se définit par la primauté du marché et de l'opinion publique, son fonctionnement lui permet d'absorber des chocs tel le 11 septembre, mais la rend perméable aux emballements intellectuels et idéologiques. « L'économie monde » contribue à maîtriser les premiers, mais « le média monde » constitue une formidable caisse de résonance des seconds. Invincible Occident ? Il est plus solide là où on le croit désemparé, plus friable là où on l'imagine inexpugnable. Le siècle passé nous a enseigné que les idées, lorsqu'elles deviennent obsessionnelles, sont plus mortelles que les fusils.

4

L'économie capitaliste
aux limites

L'économie mondiale connaît une révolution sans précédent depuis quinze ans. C'est la première fois de l'Histoire qu'un nouveau cycle technologique s'ouvre, au moment où le marché mondial double de taille. La concomitance entre l'émergence des technologies de l'information et la chute du communisme était évidemment fortuite. Seuls des esprits malades de rationalité ou caricaturalement attachés au primat des infrastructures peuvent se rassurer en imaginant que, faisant circuler l'information à l'Est, le multimédia a fait tomber le mur de Berlin !

C'est la mise en résonance de ces deux événements qui permet à la machine de tourner à plein régime. La vitesse du moteur est telle que la crainte va croissant d'un accident, d'une thrombose des marchés ou d'un collapsus mondial.

C'est faire fi de la formidable capacité du système à s'autoréguler : que de chocs, depuis le milieu des années quatre-vingt, absorbés sans le moindre drame ! En revanche, fonctionnant à grande vitesse, le système fabrique, comme dans le passé, un maximum d'efficacité et un maximum d'inégalités. Mais à l'époque, l'économie de marché suscitait les antidotes qui permettaient, dans un cadre national ou continental, de préserver l'essentiel de l'efficacité, en ramenant les inégalités à un niveau tolérable pour les opinions publiques. Le marché et la redistribution étaient devenus des jumeaux inséparables, garants du bor fonctionnement des sociétés occidentales.

C'est cet équilibre subtil qui fait doublement défaut : à l'échelle de l'économie mondiale, seule géographie désormais pertinente, et au sein de chacun des nouveaux acteurs. De là le vrai risque : nous sommes moins menacés par un krach des marchés d'ampleur cosmique que par l'incapacité d'inventer un *Welfare State*, redistribuant des ressources entre pays et surtout au sein des nouveaux pays émergents. L'absence de social-démocratie est plus pénalisatrice que les hoquets du monde financier. Aussi les ennemis du système se trompent-ils d'enjeu : au lieu d'éructer contre le capitalisme apatride, ils devraient aller militer à la base, au sein des syndicats brésiliens ou indiens, s'ils n'osent pas prendre le risque d'aller se battre en Chine pour la reconnaissance du fait syndical !

Nous bénéficions du troisième cycle technologique de l'histoire de l'économie : après la machine à vapeur et l'électricité, la révolution numérique. L'avènement, dans les années soixante, de l'informatique semblait le point de départ de ce nouveau cycle Kondratiev [1]. Erreur complète. Il n'a démarré que récemment, au moment où l'Internet, le multimédia, le numérique ont envahi nos vies quotidiennes. Un cycle technologique exige, en effet, la coïncidence de deux phénomènes : un effet sur l'offre, débouchant sur une amélioration de la productivité ; l'apparition d'une nouvelle demande de la part du consommateur final. L'électricité répondait à la perfection à ce modèle : d'un côté elle bouleversait les modes de production, permettant le développement du fordisme et d'une nouvelle organisation industrielle avec, à la clef, de substantiels gains de productivité ; de l'autre côté, elle permettait l'apparition de biens, du frigidaire au robot domestique, de la machine à laver à la télévision, qui provoquait une fringale d'achats de la part des consommateurs, avec

---

1. Kondratiev, économiste russe du début du siècle, a mis au point une théorie des cycles longs.

l'aspiration de couches de plus en plus larges de la population d'accéder à ce nouvel éden.

C'était une illusion d'attendre de l'informatique le même miracle. Elle modifiait certes l'organisation productive, presque aussi profondément que l'électricité, apportant à son tour de considérables gains de productivité, mais elle ne débouchait, du côté de la demande, que sur la fourniture de produits aux entreprises et aux administrations, sans appel d'air chez le consommateur final. De là les palabres sans fin sur l'apparition d'un nouveau chômage lié à l'informatique et sur le poids relatif des destructions d'emplois induites par les ordinateurs et de créations d'emplois nées de la diffusion dans le corps économique des progrès de productivité, à travers des baisses de prix et un surcroît de pouvoir d'achat.

Avec la révolution numérique, prévaut en revanche le même cycle vertueux que pour l'électricité. Elle poursuit et amplifie les effets de l'informatique sur l'organisation des entreprises, permettant au secteur des services d'atteindre des niveaux d'efficacité équivalant à ceux des processus industriels. Mais elle fait naître une demande gigantesque de produits de la part du consommateur final. Téléphones portables, micro-ordinateurs, bouquets satellitaires, jeux vidéo, lecteurs de DVD : autant de produits, de rêves à concrétiser, de fantasmes consuméristes qui représentent d'ores et déjà une part significative du budget des ménages. C'est, en quelque sorte, « l'effet frigidaire » qui recommence.

Un cycle Kondratiev ne signifie certes pas un miracle économique pendant vingt ans, c'est-à-dire une croissance forte sans à-coups ; il n'efface pas les crises conjoncturelles qui servent de respiration au système économique. Mais il infléchit la pente du rythme de croissance de 0,5 à 1 % par an par rapport à la situation antérieure, ce qui, en une génération, représente des montants considérables.

Le processus à l'œuvre aurait été le même du temps du communisme, mais l'effondrement de l'Union soviétique, le passage à un capitalisme effréné de la part de la Chine, l'ouverture, par ricochet, de toutes les économies bureaucratisées et protectionnistes du tiers-monde, Inde en tête, ont brutalement changé la taille du marché : jusqu'alors cantonné au seul Occident, il est devenu l'*alma mater* du monde. De là une formidable caisse amplificatrice pour la révolution numérique : elle bénéficie dans son déploiement d'un étonnant changement d'échelle.

C'est la conjonction de ces deux événements – révolution numérique, élargissement du marché aux frontières du monde – qui fabrique le substrat de l'économie contemporaine et qui donne à la globalisation une ampleur jusqu'alors méconnue. Libre circulation des capitaux, libre circulation des technologies et accessoirement libre circulation des produits et services : tels sont les ingrédients. Sans apparition des réseaux numériques, il n'y a pas de liberté des capitaux ; sans Internet, pas de transfert sans contrainte des technologies. Le libre-échange traditionnel vient désormais par surcroît, alors qu'il constituait autrefois le vecteur du progrès et de la modernité. Les soubresauts des négociations de l'OMC ne fixent plus le rythme de la globalisation ; si celles-ci échouent, la globalisation continue à avancer ; si elles réussissent, la mondialisation s'accélère marginalement.

Entraînée par les deux moteurs, révolution technologique et changement d'échelle du marché mondial, la machine fonctionne à plein régime. Au bénéfice des pays anciennement riches – depuis 1965, le revenu par habitant a été multiplié par 2,5 –, mais plus encore au profit du reste du monde. Les ennemis de la globalisation pourraient méditer quelques chiffres. En un demi-siècle, l'espérance de vie est passée

83

dans le monde en développement de 41 à 64 ans ; la part de la population sans accès à l'eau potable est tombée de 65 % à 20 % ; la mortalité infantile a été réduite de moitié et l'analphabétisme a baissé de 52 % à 26 %. Il existe aujourd'hui 300 millions de Chinois, 90 millions d'Indiens, 60 millions de Brésiliens qui appartiennent aux classes moyennes, en fonction du critère établi par les organisations internationales, c'est-à-dire un revenu par tête supérieur à 6 000 dollars par an. Ce n'est certes pas le paradis, mais le système économique ne tourne pas en vain.

Tout est-il donc « pour le mieux dans le meilleur des mondes possible » ? Ce n'est pas le sentiment dominant, du moins aux yeux des opinions publiques des vieux pays. Que n'entend-on pas ? Les excès d'un capitalisme financier qui, au gré des mouvements erratiques de capitaux, peuvent mettre à genoux une entreprise, un secteur économique ou pire un pays entier, comme les nations asiatiques en 1997 ou l'Argentine en 2002. L'évanouissement des Etats et partant, la disparition des politiques macroéconomiques qui permettaient à chaque pays de suivre sa propre voie de développement. La toute-puissance des politiques monétaires, ultime « manche à balai » mais confié à des pilotes, les banquiers centraux obsédés par la lutte contre l'inflation et cédant au plaisir pervers de favoriser la récession. La multiplication des incidents de toute nature, variation de changes, hausse du pétrole, envolée des matières premières, susceptibles de déstabiliser le système. Tous ces clichés ont une racine commune : l'affolement devant la puissance des marchés. Ils participent d'une même angoisse : la crainte d'une crise systémique.

La contemplation du fonctionnement quotidien de l'univers financier peut aisément alimenter de telles phobies. La masse des capitaux en jeu, leur déconnexion désormais totale avec les flux de biens et services, la multiplication, à travers les dérivés et autres options, de capitaux quasi fictifs, susceptibles de déstabiliser toutes les valeurs boursières, y compris les plus importantes et, pire encore, toutes les monnaies, dollar et euro inclus : même les professionnels les plus aguerris ont parfois le vertige. « Et pourtant elle tourne » : la vieille pétition de principe de Galilée s'applique à cet univers-là. Elle tourne ou plutôt elle est autorégulée. L'économie de marché vit, en effet, avec de formidables stabilisateurs automatiques. Le 11 septembre aurait dû susciter un séisme économique parmi les plus élevés sur l'échelle de Richter : le traumatisme économique s'est évanoui, telle une vaguelette. Les crises boursières de 1987 et de

1997 ? Elles étaient effacées après quelques mois. L'envolée actuelle du prix du pétrole ? Elle aura un effet marginal, qui se compte en décimales, sur le niveau de croissance. Les oscillations du dollar qui, sur vingt ans, aura été multiplié par trois avant de redescendre la pente ? Les échanges internationaux les ont absorbées sans traumatisme.

Soit l'économie de marché relève d'un miracle quotidien, ce qui n'est pas conforme aux canons de la raison ; soit elle est d'une formidable ductilité, comme la société occidentale est, elle-même, d'une étonnante plasticité, les deux phénomènes se renforçant évidemment l'un l'autre. Tel est le diagnostic. L'autorégulation ne résulte pas du seul jeu du marché. Ainsi la maîtrise des crises boursières doit-elle beaucoup à la politique monétaire d'une FED aussi décidée à soutenir les marchés que son ancêtre de 1929 s'était refusé à le faire. A l'inverse des principes keynésiens les plus classiques, ce n'est pas le budget qui sert, par le gonflement mécanique de l'excédent ou du déficit, de stabilisateur économique, mais la monnaie qui remplit désormais cette fonction. De même aperçoit-on derrière l'insensibilité grandissante à l'augmentation du prix du baril, l'effet de substitutions énergétiques favorisées, de longue main, par des Etats prévoyants – la France au premier chef.

Même dans le domaine des changes, pourtant le plus insaisissable et le plus difficile à contrôler, la main – ou plutôt la parole – de l'homme est présente : les patrons des banques centrales savent utiliser les mots comme des armes de combat et parviennent, au hasard d'un adjectif ou d'un froncement de sourcils, à détourner des torrents de capitaux.

Cette formidable capacité d'autorégulation n'évite pas néanmoins toutes les crises : les nations asiatiques victimes du typhon monétaire de 1997 en témoignent, de même que la brutalité avec laquelle les marchés ont cloué au pilori la Russie en 1998 et plus tard l'Argentine. Les retournements peuvent être, à l'échelle d'un seul pays, d'une violence inouïe : protégés par la masse critique que représente l'euro, les Européens du continent ont, de ce point de vue, la mémoire courte, tenant pour acquis ce qui relève d'une admirable construction politique, en l'occurrence la marche vers la monnaie unique. Mais, même lorsqu'elles choquent par leurs excès, de telles volte-face ne sont jamais gratuites : elles trouvent leur origine dans des déséquilibres que les pouvoirs publics locaux s'étaient gardés de résorber. D'ailleurs l'onde de choc qui se propage d'une économie déséquilibrée à l'autre finit par s'atténuer, lorsqu'elle bute sur une situation plus saine : ainsi les opérateurs de marché les plus spéculatifs ne sont-ils pas parvenus à transformer le spasme argentin en une crise brésilienne de grande ampleur. Des coupe-feux fonctionnent, qui évitent l'embrasement.

L'économie mondiale ressemble à un bolide conduit à pleine vitesse d'une seule main : tel est le sentiment le plus largement répandu. C'est tout le contraire : un mécanisme raffiné, mettant en mouvement des forces et des contre-forces, respectant les lois d'une thermodynamique particulière, et n'ayant connu, depuis vingt ans, ni accident majeur, ni débordement durable. La charge de la preuve relevant, en cette matière comme en d'autres, du pur empirisme, la leçon est claire : le risque systémique est une construction de l'esprit.

Il existe néanmoins un danger majeur, mais il est ailleurs : non dans le fonctionnement de l'économie de marché, mais dans l'incapacité, pour elle, de buter sur une contrainte sociale. Les effets bénéfiques de la globalisation, l'émergence d'une nouvelle classe moyenne aux quatre coins de la planète, l'enrichissement impressionnant de pays complètement marginalisés il y a vingt ans à peine, les prémisses de l'apparition d'un consommateur mondial : autant de réalités incontestables. Elles ne suffisent pas à masquer les inégalités qui accompagnent ce formidable développement.

Le marché fabrique naturellement de l'efficacité et des inégalités. Dopé par la révolution technologique et sa propre extension au monde entier, il en génère encore davantage. L'une et les autres croissent du même pas, ce qu'oublient les thuriféraires du marché, lorsqu'ils font l'impasse sur les inégalités et ses contempteurs, quand ils veulent ignorer son efficacité. Inégalités croissantes, au sein même des pays riches, avec une polarisation aux deux extrêmes de la société : les taux d'intérêt réels positifs jouent, de ce point de vue, un rôle essentiel, l'argent allant à l'argent et les possesseurs du capital s'enrichissant aux dépens des débiteurs, de même que le plafonnement des dépenses budgétaires et sociales met un frein aux mécanismes de correction que l'Etat-providence n'a cessé, pendant cinquante ans, d'améliorer. Le principe de Rawls [1] – sont légitimes les inégalités qui ont pour conséquence de permettre un progrès dans la situation des plus défavorisés – est aujourd'hui battu en brèche par le sentiment collectif. Légitimes peut-être, les nouvelles inégalités n'en sont pas moins difficilement tolérées par l'opi-

---

1. Rawls, économiste contemporain, dont l'œuvre s'articule autour d'une théorie de la justice sociale.

nion publique. Le populisme en est une manifestation, parmi d'autres, avec ses pulsions antiélitistes. Mais les vieux pays demeurent capables de gérer les conséquences de ce retour des inégalités. Réforme de l'Etat-providence, substitution du principe d'équité aux fondements égalitaristes, arbitrage différent entre salaires et emplois : les outils existent, qui permettent d'adapter à la marge le contrat social.

Inégalités, en revanche, irréductibles entre pays : le système est vis-à-vis d'elles désarmé. La globalisation fabrique ses vainqueurs et ses vaincus. Les bénéficiaires sont encore plus indifférents au sort des victimes que peuvent l'être, pétris de mauvaise conscience, les vieux pays. Lors des dernières négociations internationales, le club emmené par la Chine, l'Inde, le Brésil et l'Afrique du Sud se souciait comme d'une guigne des problèmes des pays d'Afrique centrale ou des Caraïbes : c'est l'Union européenne qui militait, seule, en leur faveur. Tel que se développe le phénomène, il y aura sur la carte du monde des trous noirs grandissants : régions rongées par une démographie galopante, des épidémies incontrôlables et une pauvreté grandissante. Mais abonnés au statut de victimes, ces pays n'ont aucun moyen de peser sur le cours des choses, hormis les craintes que suscite une émigration mal maîtrisée vers les pays riches. Leur arme principale ne leur appartient pas : c'est la mauvaise conscience des nantis.

Inégalités, enfin, au cœur même des nouveaux bénéficiaires de la globalisation, c'est-à-dire les pays émergents qui ont le vent en poupe. C'est chez eux que le système touche à sa limite. D'un côté, ils encaissent les dividendes de la croissance, entrent de plain-pied dans le jeu mondial, voient émerger une classe moyenne, parcourent, en un mot, en accéléré, le même chemin que nos vieux pays avaient suivi en un siècle. De l'autre, la polarisation s'accentue aux extrêmes de la société, avec l'enrichissement ostensible, voire ostentatoire, d'une micro-couche de la population et la paupérisation de dizaines de millions d'exclus, attirés dans la périphérie des villes par les lumières de la prospérité et incapables d'en obtenir les miettes. L'écart semble, chaque jour, grandissant entre ces deux pôles de la société, sans que pointent à l'horizon les prémisses d'une politique de redistribution et l'embryon d'un Etat-providence efficaces. Pourquoi les mêmes causes ne produisent-elles pas les mêmes effets et l'ascension du capitalisme ne fait-elle pas apparaître une fois encore son double irremplaçable, la social-démocratie ?

Manque, au premier chef, une bourgeoisie qui ait le sens de l'intérêt collectif et dont la première manifestation civique consisterait à ne pas exporter son capital vers les coffres des banques suisses. A force de se vouloir cosmopolites et insérées dans le club mondial des riches, les élites locales ne mesurent pas ce que serait leur devoir moral. Fait aussi défaut une société civile puissante, avec des corps intermédiaires actifs, partis, associations, syndicats, Eglises : quand, dans ces pays-là, de telles institutions existent, elles fonctionnent davantage comme des franc-maçonneries de pouvoir que comme des vecteurs de l'intérêt général. Pèche enfin par son absence, un Etat efficace, servi par une technocratie compétente et vertueuse, capable de conduire des programmes de longue haleine. Contrairement aux idées reçues, la classe politique représente parfois la meilleure part des élites locales, mais dépourvue de relais d'action, elle devient vite prisonnière de l'incantation. Il n'existe pas d'exemple plus probant, à cet égard, que le Brésil. N'a-t-il pas porté successivement au pouvoir un intellectuel de réputation internationale, Henrique Cardoso, doté, à la différence de beaucoup de ses collègues, d'une vraie tête politique, puis, avec Lula, un syndicaliste charismatique et habile, susceptible de se faire applaudir à Davos comme dans les *favelas* ? L'un et l'autre sont très supérieurs à l'écrasante majorité des dirigeants politiques occidentaux, mais ils butent sur l'absence de relais. Leur intelligence des situations les a d'ailleurs amenés à modérer leurs ambitions sociales et à se limiter à des actions de première urgence : lutte contre la mortalité infantile, contre l'analphabétisme et, avec beaucoup de difficultés, contre la malnutrition. Encore le Brésil est-il, de tous les pays émergents importants, le plus proche du modèle occidental, avec une tradition syndicale dont Lula est l'héritier, une vie associative organisée en particulier autour de l'Eglise, des universités de bon niveau, une élite intellectuelle de haute volée, une classe d'entrepreneurs dynamiques. L'Indonésie, les Philippines et tant d'autres nouveaux acteurs économiques se situent, de ce point de vue, à mille lieues du Brésil.

Les libéraux les plus doctrinaires ne s'inquiètent pas d'un tel état de fait : ils sont convaincus que dispensé, de la sorte, d'entraves et de contre-pouvoirs, le marché donne son meilleur, qu'il en résulte, à long terme, un optimum collectif et donc que ces pays ne sont pas à la merci d'un coup de chien. C'est évidemment un pari. Il en existe un autre – c'est le mien – qui considère comme aléatoire une situation qui voit les sociétés se polariser à l'excès. Espérer l'émergence d'une social-démocratie dans les nouveaux pays semble, dès lors, un réflexe naturel. Mais c'est aussi un vœu pieux : nulle part n'apparaissent les embryons de luttes sociales, les prémisses d'une bataille pour le partage de la valeur ajoutée entre salaires et profits, les fondements d'une politique de redistribution. La situation peut-elle évoluer à l'avenir ? Rien n'est moins sûr, car au stade où en sont ces pays de leur processus de développement, de tels indices auraient dû déjà apparaître. Ils ont, par comparaison avec les pays occidentaux, parcouru une partie suffisamment importante de leur courbe d'apprentissage pour que les contre-feux classiques se soient déjà manifestés face au marché, s'ils devaient jamais le faire. La pérennité de déséquilibres aussi marqués peut être éthiquement condamnable. Signifie-t-elle, pour autant, un risque de déstabilisation du système ? Je le crois. Sous quelles formes ce risque se matérialiserait-il ? Impossible à prévoir. L'apparition, dans ces pays, de groupes violents, réplique contemporaine des Brigades rouges ? Un effet ricochet sur les opinions publiques occidentales au point de les pousser à se retourner contre le modèle libéral ? La montée d'un populisme agressif – car, même avec une société civile anémiée, les populations disposent du bulletin de vote –, conduisant les dirigeants à des politiques erratiques et à la mise en cause brutale des pays riches ? Le développement de mouvements de contestation violente se diffusant du tiers-monde vers le monde riche et vice versa, tel un mai 68 radical à l'échelle planétaire ? La naissance, dans ces pays et en Occident, d'une « internationale du refus » mieux armée pour mener un combat idéologique, en jouant sur les ressorts de la société médiatique, que pour conduire des luttes sociales dans les usines mexicaines ? Autant d'hypothèses, sans compter toutes celles que l'Histoire, toujours plus inventive qu'on veut l'imaginer, saura nous réserver.

Ainsi l'économie contemporaine semble-t-elle à l'abri d'un accident endogène, c'est-à-dire une explosion née du jeu même du marché et que les coupe-feux traditionnels seraient incapables de cantonner. La machine est tellement huilée qu'elle sait faire litière du risque systémique. C'est en revanche en butant sur les sociétés civiles qu'elle trouve ses limites. La globalisation est en train de détruire à l'échelle mondiale le troc sur lequel l'Occident a fonctionné depuis un siècle : laisser au marché son efficacité, en bloquant, par d'autres voies, sa tendance naturelle à susciter des inégalités insupportables. Croire, en revanche, qu'une infinie efficacité et d'extrêmes inégalités iront éternellement de pair relève de l'acte de foi. Il est, de ce point de vue, minuit moins cinq.

5

L'Europe, enfant du miracle
à l'âge adulte

L'Europe a besoin de trouver son Habermas : il faut la conceptualiser comme le philosophe allemand a su le faire, avec son « patriotisme constitutionnel », pour la République fédérale. Celle-ci ne pouvait en effet trouver son principe qu'en elle-même, dès lors que tout retour sur le passé lui était interdit. L'Union européenne est désormais condamnée au même exercice. Les fondements de l'après-guerre – la réconciliation, la solidarité face au danger communiste, la reconstruction – sont devenus de purs ornements. C'est à partir d'elle-même, de sa façon d'avancer et de se construire, qu'elle doit inventer sa légitimité. Elle a intérêt à s'assumer comme un être sartrien, dont l'existence précède l'essence : c'est d'ailleurs la démarche qu'Habermas a appliquée à l'Allemagne, faisant de la Loi fondamentale – sa constitution – non le règlement intérieur d'un pays chargé d'histoire, mais la matrice identitaire du nouvel Etat.

Si l'Europe se reconnaissait comme un « enfant du miracle », un miracle inlassablement renouvelé depuis plus d'un demi-siècle, elle aurait commencé ce travail fondateur, mi-prospective, mi-psychanalyse collective. Si, ensuite, elle s'acceptait comme un « OVNI institutionnel », échappant aux canons classiques de la fédération et de la confédération, et si elle se vivait comme une organisation en phase avec l'âge de la cybernétique et l'ère de la complexité, elle échangerait ses frustrations et son sentiment d'infériorité contre un minimum de fierté. Si, enfin, elle s'interrogeait sur les moyens pour un être *sui generis* de passer de l'enfance à l'âge adulte, c'est-à-dire de troquer le principe du mouvement perpétuel contre un univers de relative stabilité, elle réussirait à se débarrasser des états d'âme et des interrogations inutiles qui finissent par noyer une réussite exceptionnelle, sans précédent dans l'Histoire, dans un océan de doutes et de scepticisme.

La construction européenne a connu trois temps successifs : une première étape, d'une clarté cartésienne jusqu'à la chute du mur de Berlin ; une seconde période, après 1989, faite d'un mélange d'habitudes de fonctionnement et d'empirisme ; une troisième, enfin, de désordre créateur. Que l'Europe occidentale était belle, en effet, du temps du communisme ! Elle s'est construite contre un ennemi : Staline a été, de ce point de vue, un parrain encore plus efficace que Jean Monnet ; celui-ci aurait été, en effet, moins à l'aise sans l'ombre portée du stalinisme. Elle s'est érigée grâce à une mémoire : « le plus jamais ça », mais nourrie de l'expérience, *a contrario*, du traité de Versailles ; personne n'avait envie de faire à nouveau de la rancœur et de l'humiliation des vaincus des moteurs de l'Histoire. Elle s'est développée à partir d'une méthode qui, anticipant sur l'omnipotence de la vie économique, avait fait le pari que l'économie embrayerait naturellement sur la politique. Même si la trajectoire n'avait pas correspondu aux attentes des fédéralistes de l'après-guerre, elle s'était inscrite, malgré les soubresauts que lui avait imposés le gaullisme « haute époque », dans une perspective rationnelle et progressive.

La disparition du principal facteur de cohésion – la crainte de l'Union soviétique – ne pouvait que brouiller les cartes. L'ennemi disparu, deux visions se sont affrontées : l'une, irénique, qui tablait sur l'émergence d'un continent pacifique, obsédé par le désir de coopération et dominé par le triomphe simultané de la démocratie et du marché ; l'autre, archaïque, convaincue qu'après la parenthèse de la guerre froide, les tropismes historiques allaient reprendre le dessus, avec la crainte de voir l'Allemagne s'éloigner de l'Ouest pour se réinstaller avec force au centre géographique et politique de l'Europe, une Allemagne certes exemplairement démocratique mais néanmoins aimablement impériale. Enfants de la guerre, mais aussi du congrès de La Haye et de l'utopie européenne, Kohl et Mitterrand voyaient la scène avec des lunettes à double foyer, l'un optimiste, l'autre pessimiste. De là la réponse empirique, mais non conceptualisée qu'ils ont donnée à la situation. D'un côté, la création de l'euro avec une finalité essentiellement politique : arrimer de la façon la plus solide possible l'Allemagne à l'Europe de l'Ouest – construire, comme le répétait avec ingénuité, le chancelier allemand, « une Allemagne européenne afin d'éviter une Europe allemande ». De l'autre côté, ouvrir la perspective de l'adhésion aux pays libérés du communisme, afin de faire correspondre, du moins le croyait-on à l'époque, les frontières de l'Union européenne avec la géographie de l'Europe.

Même si les décisions prises au début des années quatre-vingt-dix entrent dans cette grille de lecture, le processus a été plus tortueux, aléatoire et parfois irréfléchi. Kohl souhaitait l'adhésion de la Pologne, tel un glacis, de manière à éviter que la frontière orientale de l'Allemagne réunifiée soit celle de l'Union ; Mitterrand était obsédé par le maintien de l'équilibre entre la France et une Allemagne accrue d'un tiers, comme si dans le monde moderne, le poids des pays se mesurait à l'importance de leurs populations ; Madame Thatcher, prisonnière d'un antigermanisme suranné, cherchait des alliances de revers ; et les autres attendaient que les trois grands se mettent d'accord. Le cartésianisme demeurant, en cette affaire, le privilège des Français, c'est seulement dans l'hexagone que fut soulevée la problématique « Europe-espace » *versus* « Europe-puissance », ce qui a suffi à enterrer cette question pourtant essentielle. Cette deuxième étape semble néanmoins d'une extrême rationalité, à côté du désordre créateur que nous avons connu ensuite. Une kyrielle d'adhésions, au nom du principe qu'il est difficile de refuser aux Slovaques le même traitement qu'aux Tchèques, aux Baltes qu'aux Polonais, aux Chypriotes qu'à Malte, demain à la Bulgarie et à la Roumanie qu'à la Hongrie et après-demain aux autres républiques de l'ex-Yougoslavie qu'à la Slovénie. L'acceptation, au terme d'un processus décisionnel opaque et irréfléchi, du principe de l'adhésion de la Turquie. Les modifications des règles du jeu institutionnelles à Nice, dans des conditions auprès desquelles les débats nocturnes du vieux parti radical ou de la démocratie chrétienne italienne sont des exemples de transparence et de limpidité. Fallait-il une conscience inavouée de cette réalité, pour que les gouvernements se dessaisissent au profit d'une institution venue de nulle part, la Convention, de la reconstruction d'un ordre minimal !

Le résultat d'une histoire aussi chahutée est évidemment baroque. Pour des Français, c'est synonyme d'échec ; pour des Britanniques, c'est une forme d'adaptation empirique à la réalité ; pour des Allemands, c'est un système qui n'est guère plus complexe que leur propre fédéralisme. Ce sont des jugements datés. Comment croire qu'une construction *sui generis*, aussi folle et ambitieuse, pouvait suivre le chemin d'une société sans passé – les Etats-Unis – ou d'une société désireuse d'abolir le passé – l'Allemagne – et parvenir, de la sorte, à un fédéralisme pur et parfait ? Pourquoi ne pas voir dans ce système européen, partiellement fédéral, partiellement coopératif, d'une infinie complexité, l'emblème d'une époque dominée par la cybernétique et le culte des actions et rétroactions ? Les mêmes, qui se nourrissent des gammes d'Edgar Morin sur la complexité, s'indignent parfois des méandres de l'organisation européenne. La création d'une institution, la Commission, en charge de l'intérêt général européen,

101

n'a-t-elle pas relevé d'une intuition géniale, pré cédant de plusieurs décennies le goût de nos sociétés contemporaines pour les organisations d'intérêt général, comme substituts à des Etats régaliens fatigués ? Le jeu à quatre – gouvernements, Parlement européen, Commission, Cour de justice européenne –, n'offre-t-il pas un modèle plus sophistiqué que la séparation des pouvoirs à la Montesquieu, et peut-être plus adapté à un monde moderne dominé par les forces combinées du marché, de l'opinion publique et des règles de droit ? La fonction de vigie que remplit un président de la Commission talentueux n'esquisse-t-elle pas un rôle qui fait défaut à nos systèmes institutionnels nationaux, écrasés par l'électoralisme, voire le populisme ? Les échanges entre le Parlement européen et les autres institutions ne témoignent-ils pas de l'irruption, fût-elle biaisée, de la société civile dans la sphère politique ? Faut-il se lamenter de l'« entrisme » des organisations non gouvernementales, des associations militantes, des lobbies en tous genres, vis-à-vis du Parlement et de la Commission ou y apercevoir, au contraire, les germes d'une nouvelle forme de démocratie, incarnée autant par les institutions de la société civile que par le seul suffrage universel ? Sans doute les modes de fonctionnement sont-ils ésotériques, les procédures touffues, les frontières entre les institutions biscornues et un peu d'ordre supplémentaire serait-il bienvenu, mais la réalité de nos sociétés est, elle aussi, de moins en moins simple, *a fortiori* celle d'une société européenne faite de vingt-cinq nations. Le culte de la simplicité n'est pas, en matière européenne, dénué d'arrière-pensée : c'est une forme subliminale de refus de l'Europe.

La complexité, prise au sens positif, tel un gage de modernité, ne se limite pas au champ institutionnel. Elle se manifeste dans l'espace de compétition-coopération qu'est devenue l'Europe. Pour les obsédés du cartésianisme, la réalité se doit, là aussi, d'être binaire : elle se fonde soit sur la compétition, soit sur la coopération. La vie est, au sein de l'Union, plus inventive : elle les rend inséparables. C'est à cette aune-là que se jugent les positions de puissance entre Etats membres. Aux yeux des Français, l'osmose avec l'Allemagne se veut la meilleure réponse possible à une compétition accrue, même si aujourd'hui, elle ressemble à l'alliance de deux invalides, l'une et l'autre en retard sur les exigences de la globalisation. C'est un pari, de la part des Français, sur la permanence des difficultés allemandes qui permet de rééquilibrer les relations entre les deux pays. Cette approche fait fi d'une différence essentielle : les Français sont handicapés par leurs propres arthritismes, les Allemands par les leurs, mais aussi par le fardeau gigantesque de la réunification dont ils mettront des années à se libérer. Mais à un moment, la situation se retournera : de handicap, la réunification se transformera en avantage, dès lors que la productivité aura rejoint, dans les nouveaux *Länder*, celle de la vieille Allemagne. Son moment de faiblesse disparu, l'Allemagne sera-t-elle aussi fraternelle et aussi solidaire à notre égard ? Comme rien, en ces matières, n'est certain, il aurait été de bonne politique de la part de la France, dès lors qu'elle a fait le choix prioritaire de l'alliance allemande, de brûler les étapes et de profiter du moment de grâce actuel pour rendre les liens indestructibles, à l'instar de François Mitterrand ficelant l'euro en échange de son feu vert à la réunification. Mais, même si le lien franco-germanique était institutionnellement plus solide, jouer de façon aussi exclusive la carte allemande, c'est se priver d'autres ouvertures dans la partie d'échecs à laquelle ressemble la vie de l'Europe.

Ainsi, vieille réminiscence d'un sentiment de supériorité historique, voulons-nous occulter la transformation progressive de l'Espagne en une grande puissance européenne, voire en un acteur mondial. Grande puissance européenne, elle l'est pourtant devenue grâce à la continuité de la politique économique menée depuis vingt ans par la gauche et la droite, et fondée sur une rigueur budgétaire exemplaire, une utilisation habile de l'avantage de compétitivité né, au moment de l'entrée dans l'Union, de salaires inférieurs à la moyenne européenne et enfin, une utilisation méthodique, en faveur du développement des infrastructures, des subsides européens. S'ajoute une ambition collective de l'ensemble des élites politiques, médiatiques et économiques qui n'est pas sans rappeler les grandes années de *Japan Inc.* Ainsi ont-elles favorisé l'émergence d'acteurs industriels et financiers du meilleur niveau : il y aura, dans dix ans, des entreprises espagnoles parmi les cinquante plus importantes capitalisations boursières européennes. Peut-on en dire autant, sans risque, de l'Italie ? Mais l'Espagne est aussi, par la grâce de l'*Hispanidad*, un acteur mondial en devenir. Est-ce par jalousie que les Français sous-estiment le don du Ciel dont bénéficient ainsi nos voisins ? Jouant au maximum des faibles atouts que leur donne la francophonie, ils devraient mesurer mieux que d'autres ce que signifie l'existence de quatre cents millions d'hispanophones sur l'ensemble du continent américain, dont cinquante millions aux Etats-Unis et, qui plus est, en plein essor démographique. Imagine-t-on notre arrogance si le français était la deuxième langue parlée en

Amérique du Nord, au point de rivaliser, dans certains des cinquante Etats, avec l'anglais ? Les Espagnols savent, mieux que quiconque, qu'ils sont au centre d'un *Commonwealth* d'un nouveau style ; ils font preuve d'un grand doigté dans la gestion de cet ensemble informel, cultivant avec un soin particulier les Brésiliens, convaincus que ceux-ci seront de moins en moins lusophones et de plus en plus hispanophones et surtout ils se préparent à devenir le seul pays européen disposant d'un « lien spécial » avec les Etats-Unis. Le poids des Hispaniques y sera tel dans dix ans que Washington aura bien davantage les yeux de Chimène pour Madrid que pour Londres.

Au-delà de l'Espagne, c'est tout l'univers latin qui devrait constituer pour les Français un terrain de manœuvre. Dans l'Europe des vingt-cinq, des sous-ensembles se formeront, réponse à nouveau coopérative à la vivacité de la compétition. L'Allemagne exercera son influence sur un *hinterland* historique qui recoupe peu ou prou les frontières de feu les empires germaniques et austro-hongrois. Une nouvelle Ligue hanséatique réunira de son côté les pays scandinaves et les pays baltes. Même si le poids de l'Histoire est moins favorable à l'union des Latins, celle-ci est dans l'ordre des choses. Français, Italiens, Espagnols, Portugais partagent mille complicités, mais surtout ils feront face à un même problème : l'immigration en provenance du sud de la Méditerranée, alors que l'*hinterland* germanique sera, lui, confronté à une immigration venue de l'Est.

Il y a certes, parmi les Latins, deux différences : entre la France, terre historique d'immigration, et les trois autres, pays d'émigration brutalement confrontés à l'inversion des flux et à l'arrivée massive d'immigrés ; entre la France et l'Italie d'une part, l'Espagne et le Portugal d'autre part, ces derniers pouvant aller chercher en Amérique latine les immigrés dont ils auront besoin et qui partageront avec les autochtones la langue, la religion et, pour partie, la culture. Mais à la fin des fins, ces quatre pays devront mener une politique commune afin de gérer ensemble l'immigration en provenance d'Afrique du Nord, sous peine de voir les mesures d'encadrement prises par l'un, battues en brèche par les décisions des autres.

Habitués à se glisser dans les interstices du continent européen, au nom du principe séculaire qui les a toujours poussés à diviser les puissances continentales afin de survivre plus confortablement, les Britanniques sont les mieux armés pour jouer la double partition de la coopération et de la compétition. Ils y mettront une énergie d'autant plus grande que le cordon ombilical avec les Etats-Unis s'effilochera au rythme de l'ascension de l'« autre monde » aux dépens du « nouveau monde ». La nouvelle Amérique regardera, en effet, de moins en moins vers Londres, comme les Romains, d'autant moins fascinés par Athènes que leur empire s'étendait à l'ouest. Déjà inégalables dans les jeux d'influence au sein des instances communautaires et en particulier de la Commission, les Britanniques seront exceptionnels pour tisser avec les uns les fils d'une alliance, pour mener avec les autres une stratégie de revers, pour se glisser subrepticement au sein de tel sous-ensemble. Le Royaume-Uni sera partout et nulle part, donc omniprésent. La complexité européenne est une aubaine pour lui : elle est faite pour son genre de beauté ; il y fera donc merveille, dès lors que dégagé du fantasme américain, il n'aura d'autre terrain de jeu que l'Europe. A six, celle-ci était un espace à deux dimensions ; à quinze, à trois dimensions ; à vingt-cinq, elle relève d'une géométrie à n dimensions. Les vainqueurs de la compétition seront les plus ductiles, les plus vifs, les plus capables de jouer simultanément sur plusieurs tables. Peut-être, devinant qu'ils sont trop patauds pour mener une telle partie, Français et Allemands préfèrent-ils se rassurer dans un tête-à-tête confortable mais dénué d'imagination.

Construction baroque, l'Union européenne suscite d'étonnants paradoxes. Ainsi, au moment où l'euro-scepticisme semble gagner l'ensemble des opinions publiques des Etats membres, émerge un authentique *homo europeanus*. C'est le meilleur gage de la poursuite de l'aventure européenne. Car, à la différence de l'*homo sovieticus* – cher à Zinoviev –, il n'est pas le produit d'un système, mais d'un lent mouvement spontané des sociétés civiles. De là un ensemble de convictions qui dessinent le profil d'un Européen à son aise de Lisbonne à Athènes et de Madrid à Helsinki. Sa vision du monde donne en partie raison à Robert Kagan : si les Etats-Unis ne sont pas capables d'être durablement Mars, contrairement à ce qu'affirme ce dernier, l'Europe est en effet Vénus. Notre *homo europeanus* est pacifiste : étonnant retournement de situation qui le voit en effet soucieux de paix, face à un *homo americanus* belliqueux, alors que, lors des grandes crises du XXᵉ siècle, les sentiments étaient symétriques. Il est simultanément tiers-mondiste, soucieux de solidarité avec les pays pauvres, n'a plus le moindre sentiment d'une quelconque supériorité occidentale, se sent lié aux opprimés de la planète, milite ardemment pour les droits de l'homme, ne croit pas à la guerre pour résoudre les conflits et déteste même toute forme de réarmement. Cela peut le conduire à une certaine lâcheté : ainsi de la plupart des Européens continentaux – Français à l'époque exclus – qui, face à la menace des SS 20 soviétiques, refusaient l'installation des Pershing américains.

La guerre en Irak a constitué un parfait baromètre de cet état d'esprit : plus les gouvernements étaient favorables à la politique américaine, plus l'opinion était braquée contre elle et plus les manifestants se comptaient à Londres, à Rome, à Madrid, par millions. Même s'ils se déclarent idéologiquement anti-européens, nombre de Britanniques se retrouvent européens par leurs comportements, fût-ce sans le savoir. Du point de vue stratégique, l'*homo europeanus* ressemble beaucoup aux Suisses : ce n'est pas de ce bois-là que se chauffent les ambitions de puissance. Pacifiste dans l'âme, il est hédoniste dans ses aspirations économiques et sociales. Individualiste, tourné vers la préservation de son cocon, il a fait, depuis vingt ans, un arbitrage au profit du temps libre et aux dépens du travail. Comme il est pétri de bon sens, il sait bien qu'un tel partage entre le revenu-argent et le revenu-temps n'est tolérable qu'à condition de préserver une relative efficacité : ainsi est-il aussi productif par heure travaillée que son compère américain, mais il consacre à son activité deux cents heures de moins par an ! Le Français ne fait, en la matière, que pousser encore plus loin le choix de l'*homo europeanus*. Si la richesse se mesurait par l'addition du revenu et du temps libre, l'Europe serait le continent le plus riche du monde et en son sein la France le recordman absolu... Assez insouciant de tempérament, l'*homo europeanus* ne se préoccupe pas de la pérennité de ce choix. Il ne se demande pas combien de temps ce modèle pourra fonctionner : de là sa réticence face aux réformes et son goût viscéral du *statu quo*. Cet épicurien est évidemment libéral sur les questions de société. Avortement, mariage homosexuel, adoption monoparentale, féminisme, fécondation *in vitro* : les mêmes réflexes jouent presque partout au sein de l'Europe des vingt-cinq et toujours dans le sens d'une plus grande tolérance. Sur ce terrain-là, l'Européen s'éloigne chaque jour davantage de l'Américain.

Ainsi se forme au sein de l'Europe une unanimité de réflexes et de comportements : si la citoyenneté européenne demeure une réalité juridique lacunaire, elle se forge chaque jour dans les choix individuels. Une société civile européenne se met donc en place ; elle marche certes à cloche-pied avec, d'un côté des Européens de plus en plus proches les uns des autres, et de l'autre une absence totale d'institutions susceptibles de structurer la vie collective de l'Union – partis, syndicats, associations, médias, corporations, universités... Mais que l'époque paraît éloignée, où la construction européenne semblait en plein essor, mais où les citoyens des Etats membres réagissaient encore en fonction d'une idiosyncrasie nationale ! C'est désormais l'inverse : le processus institutionnel patine, mais les Européens se ressemblent de plus en plus. L'existence d'une opinion publique homogène diffuse-t-elle une énergie susceptible de relancer la machine de l'Union ? Rien n'est moins sûr, à moins d'une intelligente chimie politique.

L'Europe est, au fond, tiraillée plus qu'elle ne l'a jamais été par des tensions contradictoires. D'ordre institutionnel, au premier chef, la dialectique élargissement *versus* noyau dur. Chacun sait que, plus l'Union s'élargit, plus elle a besoin d'un noyau qui irradie. Des noyaux – les « coopérations renforcées » en sabir européen –, elle en créera de plus en plus : après l'euro et Schengen, ce seront demain les questions d'immigration, quelques affaires de justice, les projets universitaires, peut-être des pans entiers de fiscalité. Ce sont les faits qui imposeront cette évolution, mais elle ne traduira aucun dessein stratégique. *Quid*, en revanche, du vrai noyau, aimant politique au cœur de l'Union ? Certains veulent faire l'économie de ce débat. Ce sont des « utilitaristes » européens ; ils recourent à l'Europe afin de régler des problèmes : ni plus, ni moins. De ce point de vue, ce sont des anti-européens modernes, beaucoup plus efficaces que les souverainistes, ces anti-européens archaïques.

Mais si être européen, c'est croire au noyau des noyaux, gare aux fausses pistes. Ainsi de l'union franco-allemande. Fragile, elle serait déstabilisée par la résurgence du dynamisme allemand. Arrogante, elle serait d'autant plus insupportable qu'elle semblerait l'ultime moyen de défense des meilleures élèves de la classe, devenues l'une et l'autre des cancres : l'abandon du pacte de stabilité a poussé jusqu'à la caricature cette addition de lâchetés dominatrices. Autre illusion : le retour vers les six fondateurs. Elle témoigne d'une vision aristocratique absurde : pourquoi la Belgique plutôt que le Portugal, l'Italie plutôt que l'Espagne ? Autre impossibilité : le directoire des trois grands – Allemagne, Royaume-Uni, France ; ce serait pousser vers une alliance de revers tous les autres, Italie et Espagne en tête. Impasse enfin : l'empirisme, c'est-à-dire la tentation de croire qu'un « noyau des noyaux » naîtra d'une multitude de coopérations renforcées. Il n'existe, en théorie, qu'une solution possible : un « euro-cœur » construit sur un acte fondateur, l'engagement de ses membres de participer à toutes les coopérations renforcées, existantes ou futures. Cet « eurocœur » serait, en principe, ouvert à tous les Etats membres, même s'il se limitait, *de facto*, aujourd'hui aux participants communs à l'euro et à Schengen et demain à la défense. Il pourrait s'accompagner d'une mini-organisation de vie commune entre ses membres. Il aurait, en fait, trois immenses mérites : maintenir un moteur à la construction européenne, tout en laissant le jeu ouvert ; ne pas créer de hiérarchie explicite entre les vagues successives d'adhésion ; enfin, dédramatiser l'élargissement vers la Turquie. Si, en effet, l'Europe s'identifie à l'Union des vingt-cinq, régie par la nouvelle constitution, l'intégration de la Turquie est insupportable ; si les vingt-cinq ne constituent que le plus large des cercles européens, son adhésion est gérable, voire souhaitable. Ainsi, la tension contradictoire entre élargissement et approfondissement n'est pas condamnée à déboucher sur une situation « perdant/perdant », mais au contraire « gagnant/gagnant ».

Autre dialectique délicate : la tension contradictoire entre immigration et intégration. L'immigration deviendra chaque jour davantage un enjeu commun aux vingt-cinq, alors que l'intégration relève, elle, du « principe de subsidiarité », suivant ce mot étrange que le volapük européen a emprunté à la théologie catholique.

L'immigration n'est pas un malheur qui menacerait l'Europe ; c'est, compte tenu de sa démographie, une nécessité vitale. Encore faut-il apprendre à la gérer suivant des règles communes. En dehors de la lutte contre l'immigration clandestine qui, si elle doit être efficace, ne peut être que communautaire, les Européens n'échapperont pas à l'instauration de quotas d'immigrés. Mais si certains Etats membres n'auront pas d'état d'âme à les établir, comme le font les Américains, par nationalités d'origine, d'autres, en revanche – les Français au premier chef –, utiliseront le détour hypocrite des filières professionnelles, sans être dupes du fait qu'ouvrir la porte à dix mille informaticiens donne infiniment plus de chances au recrutement d'Indiens que de Maliens.

Mais au-delà des techniques de régulation des flux, la question relève de la psychologie collective : les Européens subiront-ils le phénomène d'immigration à leur corps défendant ou le vivront-ils comme une chance ? Leurs réactions dépendront naturellement des progrès de l'intégration. Or rien ne sera moins supranational. Le Royaume-Uni se plaira à pratiquer le communautarisme, l'Etat se contentant de traiter les autorités communautaires comme il se comportait, autrefois, dans l'empire indien ou au Moyen-Orient, avec les chefs des tribus autonomes. L'Allemagne continuera à s'extraire difficilement du droit du sang, même si elle renforcera le principe, jusqu'à présent quasi symbolique, du droit du sol. Les Français ne transigeront pas sur le triptyque : droit du sol, refus théorique des communautés, affirmation sacramentelle des principes républicains. Les anciens pays d'émigration se débattront avec des règles de naturalisation imprécises, des régularisations de clandestins rendues inévitables par la faiblesse de leurs administrations et des interrogations sur la manière de traiter le culte musulman d'autant plus complexes que, nations catholiques, ils vivent sous le régime du concordat. Les immigrés du haut de l'échelle sociale choisiront d'ailleurs leur destination en Europe, en fonction de leur jugement sur les différents modèles d'intégration des pays hôtes. Préférer Londres à Paris ou Paris à Milan correspondra, de la part d'un scientifique asiatique, à un désir différent d'insertion. Ce sera évidemment un luxe interdit aux ouvriers du bâtiment en provenance du Pakistan ou du Cameroun : eux iront là où les quotas leur laisseront de la place. Aujourd'hui les Européens occultent la dialectique immigration-intégration, préférant, par peur de la xénophobie ambiante, la politique de l'autruche à un discours de vérité.

Autre contradiction elle aussi complexe à gérer : la montée des irrédentismes locaux, parallèlement au poids grandissant de l'échelon supranational, l'Europe constituant, de ce point de vue, une porte d'entrée sur le village mondial. Les Catalans se sentent à l'évidence de plus en plus catalans, de plus en plus européens et de moins en moins espagnols : ils utilisent, avec une intelligence tactique éprouvée, l'Europe comme un instrument contribuant à réduire l'emprise castillane. Les agités de la Ligue du Nord italienne ne sont pas aussi subtils : ils jouent la partition du populisme anti-européen, alors que militants de l'Europe, ils seraient plus forts pour obtenir un fédéralisme destiné à donner satisfaction à leur égoïsme fiscal. Les Ecossais sont moins anti-européens que les Anglais : rien de plus normal. L'étage supraétatique est un allié de circonstance dans leur volonté de renforcer les attributs que leur a accordés une dévolution encore toute fraîche. Quant aux Bavarois, ils sont tiraillés entre l'attraction pour une Europe qui met un couvercle sur les ambitions du *Bund* et un conservatisme sociétal qui les met en porte à faux vis-à-vis de l'*homo europeanus*, nouvelle incarnation spontanée de l'Union. Les Français sont, de ce point de vue, les plus à l'abri de ces tensions dialectiques : les vingt-deux régions sont trop naines pour mener des politiques de revers, visant à contourner

Paris, *via* Bruxelles. Mais c'est l'Union elle-même qui doit être la moins inquiète de la montée des pulsions régionales : la torsion s'effectue cette fois-ci aux dépens des Etats membres

La manière dont l'Europe répondra à ces tensions contradictoires peut se résumer dans une métaphore : sera-t-elle, projetée à l'échelle du continent, une énorme Suisse ou dupliquera-t-elle le modèle canadien ? Ce sont des précédents beaucoup plus significatifs pour les Européens que les Etats-Unis : un ancrage local plus résistant ; des forces centrifuges plus puissantes ; une obsession des questions d'immigration ; la persistance d'états d'âme, ce qui serait surréaliste de la part des Américains , enfin, un système de valeurs individuelles, assez proche de l'*homo europeanus*. La Suisse vit avec intelligence d'une rente ; elle s'appuie sur un capital massif ; elle est plutôt immobile, raisonnablement protectionniste, assez xénophobe face à l'immigration ; elle gère enfin avec habileté les irrédentismes cantonaux. C'est une manière extrêmement civilisée de se mettre à l'abri des flots de l'Histoire. Le Canada a trouvé un équilibre qui lui est propre entre compétition et protection, mêlant un esprit entrepreneurial à l'américaine et un Etat-providence d'ampleur quasi européenne. Il est viscéralement extraverti, ressent l'immigration comme un bienfait, intègre les vagues successives d'immigrés, suivant un modèle empirique mi-communautariste, mi-républicain ; il se positionne toujours dans le sens de la plus grande tolérance et des libertés individuelles les plus extensives. Si les Européens préfèrent la voie suisse, c'est-à-dire celle que préfigure l'Allemagne actuelle, immobile et pataude, ils prennent le risque, après une longue période de quiétude, d'un déclin brutal, car ils ne disposent pas, à l'échelle du continent, de l'équivalent du capital et de la rente helvétiques. Le chemin canadien est évidemment plus séduisant : plus mobile, plus tonique, plus inventif.

Mais il exige un préalable : les Européens doivent inventer un nouveau modèle de développement économique. Les Américains ont le leur, simple et efficace : ils pèseront à l'avenir sur le cours des choses en fabriquant les élites internationales, en détenant un quasi-monopole sur la technologie, en préservant leur pouvoir financier vis-à-vis du reste du monde. L'Europe vit, elle, dans un autre schéma : elle se nourrit de ses élargissements successifs, fabriquant de la prospérité à travers la mise à niveau des nouveaux arrivants – aujourd'hui la Pologne et la Hongrie, comme l'Espagne et le Portugal il y a quinze ans –, s'inventant, de la sorte, un surcroît de demande et d'énergie. C'est un modèle ancien, sans souffle : il n'est pas suffisant pour financer le choix collectif fait en faveur de la protection, fût-ce aux dépens de la compétition. Celui-ci ne pourrait se perpétuer qu'à la condition de voir l'Europe disposer d'une rente. Sur quoi peut-elle, de ce point de vue, compter ? Ses spécialités industrielles, pour la plupart allemandes, seront, dans quelques années, concurrencées par le *made in China* ; sa maîtrise des technologies modernes est trop lacunaire ; son rôle financier, malgré le poids de la place de Londres, ne crée pas des dividendes illimités. Le tourisme, l'industrie du luxe et quelques micropositions de force ne sont pas à la mesure de l'enjeu. La partie est néanmoins jouable, car l'Europe demeure un continent de cocagne. Il lui suffirait de quelques actions bien choisies pour attirer les hommes et les capitaux : des universités dignes des meilleurs campus américains ; des crédits consacrés à la technologie, de préférence aux subventions agricoles ; des politiques de commandes publiques bien ajustées ; une vague de consolidation financière transfrontières, et, sans revenir sur l'arbitrage hedoniste qu'ont fait les Européens, un rééquilibrage minimal en faveur du travail, de la production et de la concurrence.

Le passage de l'Europe, cet enfant du miracle, à l'âge adulte requiert des efforts importants mais ils sont infinitésimaux par rapport à ceux qu'elle a fournis pour parvenir à son état actuel : le parachèvement de sa construction institutionnelle baroque, en créant un eurocœur dont l'existence permettra de résoudre, *a contrario*, l'équation turque et rendra possible l'adhésion d'Ankara ; l'acceptation et la reconnaissance de jeux internes entre Etats membres dans une relation qui mêle, de façon paradoxale, coopération et compétition ; l'émergence d'un nouveau modèle économique nous redonnant une rente vis-à-vis du reste du monde... Ces pas-là ne se réaliseront qu'à condition qu'il y ait, quelque part dans la machine européenne, une source d'énergie. Celle-ci ne sera pas l'apanage de l'*homo europeanus* : c'est un sybarite, mais ni un militant, ni un ascète. De même ne devons-nous pas tabler sur un sursaut spontané des élites politiques : elles sont fatiguées et conduisent l'Europe en pilotage automatique. Quant aux autres responsables, économiques, culturels, médiatiques, ils ne sont plus capables de mener des offensives, tels des « comploteurs de l'intérêt général », comme leurs prédécesseurs ont su le faire sous la férule de Jean Monnet : le populisme ambiant rend difficile le jeu des synar chies, fussent-elles les mieux intentionnées du monde. Le deuxième miracle, celui de l'âge adulte, ne peut donc venir, lui, que de l'extérieur. Inutile de tabler, de ce point de vue, sur le terrorisme ou la menace chinoise. Nous n'avons qu'un seul espoir : une prise de conscience rapide, par les Européens, du passage subreptice des Etats-Unis de nouveau monde à un autre monde ; la perception de leur étrangeté croissante vis-à-vis de nous ; la mesure de leur indifférence progressive ; le risque lié à un égoïsme et à un isolationnisme scandés par des mouvements velléitaires ; les effets de leur basculement vers l'Ouest ; le développement sans limite de leurs connivences asiatiques... De ce point de vue, l'administration Bush est un atout : elle polarise nos réactions collectives, comme l'avait fait – comparaison n'est pas raison – la menace soviétique. Privés du parrain américain, les Européens auront peut-être la force de se prendre en main, afin de franchir les quelques étapes qui pourraient mener l'admirable invention que demeure l'Europe vers une maturité sereine.

6

Le village gaulois

Chirac-Sarkozy ; Hollande-Fabius ; ou, dans un ordre plus conceptuel, EDF, établissement public ou société anonyme, la consultation médicale à un euro avec, ou non, une modulation tarifaire, une réduction du nombre des fonctionnaires qui se veut ambitieuse à 10 000 ou empirique à 5 000, une session parlementaire ou deux... Fait-on plus provincial ? La France cède, comme souvent, à ses pulsions les plus nombrilistes lorsqu'elle veut ignorer, par peur ou par aveuglement, le monde en train de se mettre en place sous ses yeux. Le refus de phénomènes aux sonorités rauques et inquiétantes – mondialisation, globalisation, délocalisation – et le tour est joué : le pays avec ses hommes politiques, ses médias, ses prophètes d'apocalypse, ses élites intellectuelles se barricade dans son vieux village gaulois, en attendant qu'un ciel d'un nouveau genre lui tombe sur la tête. C'est manquer collectivement de lucidité : la France va mieux qu'elle l'imagine, même si elle a, comme chaque vieux pays, quelques travaux d'Hercule à réaliser.

Il existe un problème européen ; il n'existe pas de problème français. L'Europe ne peut échapper à l'invention d'un nouveau modèle, sous peine d'être marginalisée par la nouvelle Amérique et par l'univers asiatique, méprisée par les puissances en plein essor du monde en développement, négligée par la Russie et oubliée par les bailleurs de l'épargne mondiale. Mais la France n'est pas, vis-à-vis de l'Europe, ce que celle-ci devient vis-à-vis du monde : un *has been*. Sans doute pousse-t-elle jusqu'à la caricature, les trente-cinq heures aidant, le goût du sybaritisme, préférant le revenu temps au revenu argent ; sans doute est-elle légèrement en retard sur le milieu du peloton en matière de chômage ou de prélèvements ; sans doute n'a-t-elle pas l'administration la plus prédisposée au changement... Ce sont des différences de degré et non de nature. On peut même plaider la thèse inverse avec quelques arguments paradoxaux à la clef : une plus grande capacité à tirer profit de la croissance mondiale comme de 1997 à 2001, lorsqu'elle fut le pays, après les Etats-Unis, le plus créateur d'emplois au monde ; une attractivité pour les capitaux étrangers qui en a fait, plusieurs années, la deuxième destination de la planète derrière la Chine ; une démographie moins médiocre que dans les autres grands pays de l'Union, ce qui rendra plus aisés les arbitrages financiers entre actifs et inactifs ; une réussite microéconomique exceptionnelle avec l'apparition, au premier rang international, de champions dans l'industrie, les services et la finance ; une tradition, vieille de vingt ans, de modération salariale exemplaire... De même ne doit-on pas oublier les bons côtés d'un Etat aujourd'hui trop décrié : des infrastructures hors pair qui font la jalousie de tous les pays, les uns parce qu'ils n'ont pas les ressources nécessaires pour réaliser autoroutes, TGV, réseaux ADSL, hôpitaux et quelques *zakouski* de prestige, tels musées et monuments, les autres car ils sont impécunieux et convaincus que, dette pour dette, la France a peut-être mieux dépensé qu'eux.

Combien de sondages multicritères réalisés au sein de l'Union européenne ne montrent-ils pas que, dans l'esprit de ses partenaires, la France se situe en haut de l'échelle, alors qu'hypocondriaques, les Français se classent presque au dernier rang, à égalité – avant l'élargissement – avec la Grèce ? Le goût du paradoxe peut même pousser jusqu'à prétendre que les arthritismes français – fiscalité, réglementation, rigidité du marché du travail – ont obligé ses acteurs économiques à faire preuve de plus d'intelligence, à se muscler en jouant avec les contraintes, à ressembler à ces coureurs qui s'entraînent avec des poids supplémentaires aux chevilles et aux poignets et deviennent, de ce fait, plus puissants. Qui sait si, fonctionnant dans une atmosphère capitaliste mieux oxygénée, nos grandes entreprises auraient fait aussi bien, partant avec d'autant plus d'énergie à la conquête du monde qu'elles se sentaient bridées dans l'Hexagone ?

La réalité est donc plus nuancée que la perception collective du moment. Celle-ci rime avec une théologie du déclin qui ne cesse en effet de faire des émules. Vieille habitude d'autodestruction ? Goût rémanent de l'*Etrange Défaite* ? Levier d'action populiste ? Sentiment de la fin d'un cycle politique, ce qui, dans un pays plus politisé que beaucoup, joue un rôle exorbitant ? Ou délectation d'intellectuels convaincus de toute éternité que le fonds de commerce du pessimisme a, en France, une rentabilité, en termes de gloire, supérieure au choix de l'optimisme ?

Tous ces facteurs jouent, dans des proportions inappréciables, et participent de l'alchimie qui détermine aujourd'hui l'humeur du pays. Mais face aux mouvements telluriques qui affectent le jeu mondial, ces guerres picrocholines paraissent dérisoires. Je connais l'antienne : culte du « cercle de la raison », « pensée unique », autant de synonymes, aux yeux des nationalistes, cocardiers, souverainistes et autres velléitaires de tous acabits, d'abandon, de lâcheté ou de fatalisme. Il est tentant d'arguer, dans cet éternel débat, fruit de l'exception française – rien de tel ne s'est jamais produit à l'étranger dans un vieux pays prospère –, que le culte infantile de l'action, mélangé à l'ignorance du monde, n'a conduit qu'à des échecs retentissants. Mais restons-en là sur ce sujet : c'est installer au centre du jeu les théologiens du déclin, déguisés en chevaliers sans peur et sans reproche de la « volonté politique » – *sic* –, que d'essayer de justifier devant eux ce qui relève de la simple intelligence des choses.

S'il n'existe pas de problème français, il demeure de sérieuses questions qui appellent des réponses collectives. Mais, de même que l'Europe a moins à accomplir pour passer à l'âge adulte qu'elle ne l'a fait pendant son enfance, les enjeux auxquels nous sommes confrontés requerront des efforts moindres que ceux accomplis depuis un demi-siècle et qui ont fait d'un pays agricole et protectionniste une grande puissance économique, capable de se mouvoir avec aisance dans le marché mondial. Nous n'avons en effet devant nous que cinq travaux d'Hercule à réaliser, afin de tirer notre épingle du jeu international.

Premier travail : revenir au vieux principe du général de Gaulle, selon lequel l'Europe est le « levier d'Archimède » de la France. Si nous voulons peser, fût-ce marginalement, sur les affaires du monde, ce ne peut être qu'en nous projetant à travers l'Union européenne. Or Jacques Chirac est autant un « tiers-mondiste » de cœur qu'il est un « européen » de fatalité. Prendre la tête d'un nouveau mouvement des non-alignés, comme il l'a fait au moment du conflit de l'Irak, est à l'évidence source de prestige apparent et donne l'illusion de la grandeur : Nasser et Nehru en avaient été les premiers bénéficiaires, à l'époque de Bandung. Mais, sans être couplé avec une vraie volonté européenne, c'est un pur simulacre. Or, revenir au cœur du jeu européen ne se résume ni à la fraternisation verbale avec les Allemands, ni à la ratification de la constitution qui relève du simple bon sens. De même, dans une Europe aussi compliquée qu'une Union à vingt-cinq, aussi bigarrée, aussi parcourue de courants variés, l'action ne s'identifie-t-elle pas, comme autrefois, au rôle de pourvoyeur d'idées ou de chef de meute. Telle était en effet la vocation des Français les plus actifs dans le jeu européen : accoucher de nouveaux concepts, si possible d'une rationalité parfaite, et jouer les bergers du troupeau. Imagination et pouvoir étaient notre manière d'être.

Or, désormais peser sur ce chœur, en apparence désaccordé, suppose de l'habileté et de l'influence. Fabriquer des solidarités durables, accoucher de coalitions fugitives, coloniser subrepticement les postes stratégiques, tisser des liens avec les lobbies d'intérêt général, manœuvrer dans les coulisses du Parlement, être présent dans une Commission avec un seul commissaire par pays à travers une personnalité charismatique, traiter les petits pays avec considération, fût-elle feinte, accueillir les nouveaux membres avec affection, fût-elle artificielle, coordonner, concerter, discuter, palabrer : voilà qui ne ressemble guère à la chanson de geste dont le personnel politique français est si friand ! Ce sont les instruments classiques de l'influence : les Britanniques sont – c'est une évidence – maîtres dans cet art-là, mais d'autres, Italiens, Espagnols, ne sont pas manchots. Quant aux petits pays, c'est pour eux la seule manière d'exister. Aussi y excellent-ils tous depuis la signature du traité de Rome. Belges, Hollandais, Luxembourgeois n'ont fait qu'ouvrir la voie aux Scandinaves, aux Autrichiens, aux Portugais.

Français et Allemands sont, une fois de plus, frères en impuissance. Les premiers agissent toujours en force, sans mesurer qu'une concession obtenue de cette manière-là se paie en chausse-trappes multiples et souvent invisibles. Les seconds n'arrivent guère à trouver le ton juste, partagés comme ils le sont, entre la tentation de montrer leur force et les résidus de mauvaise conscience historique qui les inhibent encore un peu. Faire donc de l'Europe notre « levier d'Archimède » ne se limite pas à un *aggiornamento* diplomatique qui témoignerait de plus de désir et de volonté vis-à-vis de la construction communautaire. Cela suppose un changement radical de méthode, un pari de longue haleine fondé sur une efficace modestie, la fabrication de réseaux de connivence et d'influence, la renonciation à mimer les comportements d'une grande puissance – exercice si familier aux Français... Pour qui connaît la culture de la diplomatie française et la manière d'être, vis-à-vis de Bruxelles, de notre administration, ce premier pas peut déjà sembler infranchissable.

Deuxième travail : infléchir le mode de fonctionnement de notre Etat-providence. Des inégalités à l'américaine s'acceptent avec une fiscalité, elle aussi, à l'américaine. Des impôts à la suédoise ne sont guère contestés, dès lors qu'ils débouchent sur une égalité à la suédoise. Mais des inégalités à l'américaine ne sont pas tolérables avec une fiscalité à la suédoise. C'est le paradoxe français : lorsque plus de 50 % du produit intérieur passent dans les mains de la puissance publique avec, pour l'essentiel, un objectif de redistribution, l'existence de plusieurs millions d'exclus équivaut à un constat de faillite. Notre Etat-providence n'accepte pas volontiers ce diagnostic en forme d'évidence. C'est en effet remettre en cause ses fondements égalitaires. Or la machine, chacun le sait, redistribue de manière aveugle, sous couvert de droits identiques, au sein d'une immense classe moyenne. Elle a attendu des décennies pour tempérer les règles d'égalité et accepter de mener quelques actions ciblées sur les populations en déshérence. Dans le débat conceptuel si violent entre égalité et équité, cette dernière grignote le terrain : elle sert plus exactement de principe d'organisation à tout ce qui est nouveau dans le système social, mais elle n'est pas utilisée comme un bélier conceptuel afin d'attaquer le cœur de la machine. Un zeste de CSG sur les retraités, jusqu'alors privilégiés dans le financement de l'assurance-maladie dont ils sont les premiers utilisateurs ; une touche d'équité dans la distribution de certaines prestations familiales ; quelques miettes dérogatoires dans le fonctionnement de l'éducation nationale, au profit des quartiers les plus difficiles : la révolution n'est pas en marche ! Rappelons-nous le recul du gouvernement Jospin qui, après avoir soumis les allocations familiales à un critère de ressources, a été obligé de faire volte-face et de céder au lobby de l'égalitarisme. Lobby en effet, puisqu'il rend cohérents un principe idéologique, les intérêts d'une technostructure professionnelle et un mode d'organisation.

La situation française est-elle, sur ce plan-là, plus mauvaise que celle des autres pays européens ? Il existe des poches de pauvreté encore plus grandes que les nôtres – par exemple au Royaume-Uni – mais c'est la contrepartie des choix thatchériens et de la baisse continue des prélèvements Certains de nos voisins connaissent une fiscalité au moins aussi lourde que la nôtre, mais ils ont, peu ou prou, éradiqué l'exclusion. Comme le consensus français est incompatible avec la voie libérale – baisser les impôts au prix de la marginalisation de nouvelles couches de la population –, seul l'autre chemin nous est ouvert : basculer une partie des flux de l'Etat-providence de la classe moyenne vers les populations marginalisées. Ce n'est pas un problème technique. Les moyens – revenu minimal, franchise sur l'assurance-maladie, non-couverture partielle de la médecine de ville, etc. – sont connus ; les rapports technocratiques qui les définissent sont innombrables ; des exemples étrangers disponibles. Que manquet-il ? Du courage politique, répond naturellement l'écho. Non, mais quelque chose de plus difficile : une conscience collective de l'enjeu. C'est d'ailleurs un paradoxe que, devenue militante acharnée des droits de l'homme, émue par les situations de détresse aux quatre coins de la planète, l'opinion française ne regarde l'exclusion qu'à travers le prisme déformant de l'intégration des beurs. Insensible à l'ampleur du problème, elle n'est pas disposée à y sacrifier ses « avantages acquis ». Avant donc de céder au traditionnel procès en sorcellerie de la classe politique, il faut mesurer notre défaillance commune. Partis, syndicats, médias, leaders d'opinion n'ont jamais su faire comprendre aux Français cette réalité, comme ils avaient réussi à justifier les exigences d'une « désinflation compétitive » qui était pourtant, elle aussi, difficile à expliquer. Les politiques n'ont pas bien rempli ce rôle pédagogique mais leur défaillance ne fait que s'inscrire dans un échec collectif. C'est une longue marche qui s'ouvre devant nous pour transformer un diagnostic en premiers pas d'une thérapeutique. Mais elle n'est pas plus délicate que la révolution des comportements économiques menée pendant les années quatre-vingt.

Troisième chantier : mesurer, avant de s'y attaquer, le paradoxe qui fera cohabiter en

France le plein emploi pour ceux qui peuvent et qui veulent travailler, l'existence de plusieurs millions d'exclus et le recours massif à l'immigration, fût-elle contrôlée par des jeux de quotas plus sophistiqués que dans les années soixante. Avec un taux de chômage de l'ordre de 10 %, employer le mot même de plein emploi relève du sacrilège. Et pourtant il existe, à une précision cardinale près : pour ceux qui peuvent et qui veulent travailler. Quand une économie souffre simultanément d'une pénurie d'informaticiens et de serveurs de restaurant, de spécialistes des télécommunications et d'ouvriers du bâtiment, donc de postes très spécialisés et peu qualifiés, elle connaît le plein emploi. Mais celui-ci ne concerne qu'une population bien circonscrite. En sont exclus ceux qui ne peuvent travailler, c'est-à-dire ceux dont le niveau de formation trop médiocre va de pair avec une productivité insuffisante pour justifier, aux yeux de l'employeur, le coût total de leur travail, salaires plus charges. Avec un salaire minimum plus faible ou des charges sociales moins lourdes, ceux qui peuvent travailler seraient plus nombreux, mais la société française a fait de longue date le choix de défendre la rémunération et la protection sociale des travailleurs, aux dépens des chômeurs peu qualifiés, même si elle se refuse à cet aveu. Quant à la restriction du plein emploi à ceux qui veulent travailler, elle acte une réalité indicible : la présence, dans les statistiques du chômage, de « chômeurs rationnels » qui préfèrent l'inscription à l'ANPE à un emploi mal payé, parce qu'entre les indemnités, les aides des collectivités locales, le travail au noir et le recours, comme autrefois, au troc et à l'échange, nombre d'actifs vivent mieux qu'avec un poste traditionnel. Sans doute n'est-ce pas un choix fait de gaieté de cœur, mais il relève d'une démarche logique d'agents économiques conscients des règles du jeu. Vouloir l'ignorer par hypocrisie, c'est se duper sur la réalité. Qui a vu fonctionner le marché du travail dans le monde rural et *a fortiori* dans le sud de la France, sait qu'il ne s'agit pas de quelques milliers de déviants mais de centaines de milliers de personnes réfléchies. Les ramener dans la sphère productive suppose, d'une part de modifier les systèmes d'aide, de manière à recréer une véritable incitation au travail, et d'autre part de sanctionner, par la suppression des indemnités, les refus réitérés d'emplois. Ce n'est pas une entreprise hors de portée : Anglais et Allemands s'y sont attaqués de front et l'opinion française est sans doute plus mûre sur ce sujet-là que sur d'autres. Mais aussi longtemps que se perpétuera le *statu quo* réglementaire, le plein emploi de ceux qui peuvent et qui veulent travailler cohabitera avec une population d'exclus qui réunit, par un effet mécanique, ceux qui ne peuvent pas et ceux qui ne veulent pas, ainsi, il est vrai, que beaucoup d'autres.

L'évolution démographique ne rendra pas plus perméable cette frontière invisible ; elle accentuera les besoins de main-d'œuvre mais ne changera rien aux mécanismes qui fabriquent l'exclusion. De là le recours inévitable à l'immigration. L'opinion publique en prend progressivement conscience, qui ne croit plus aux fadaises de l'immigration zéro et autres fantasmes marqués au coin de la pure xénophobie. Demeurera la question de la régulation de l'immigration, quotas par nationalités, quotas professionnels ou autres règles invisibles, de manière à ce que les nouveaux immigrés correspondent aux besoins du marché du travail, sous peine de provoquer des tensions collectives. Comment se fera la cohabitation entre les exclus et les nouveaux immigrés ? Provoquera-t-elle des chocs intercommunautaires ? Ou des réflexes de solidarité joueront-ils ? Un tel modèle social avec cette coexistence plein emploi, exclus, nouvelle immigration est absurde : il ne fait que traduire l'échec de la société française à remettre ses exclus sur le marché du travail. Accueillir des immigrés est, nonobstant les rodomontades officielles, plus facile que d'améliorer le système de formation, baisser le coût du travail, supprimer, en cas de comportements condamnables, les allocations chômage ou recréer une incitation à la reprise d'un travail. Mais là aussi l'action semble, néanmoins, à portée de responsables décidés : elle ne peut être efficace, il est vrai, qu'à long terme. Or les hommes politiques semblent appliquer à leurs actes publics un taux d'actualisation de plus en plus élevé...

Quatrième chantier, très lié au précédent : rendre son efficacité à la vieille machine d'intégration républicaine. Il ne faut pas, une fois de plus, « jeter le bébé avec l'eau du bain » comme disent les Anglais. Que l'assimilation des jeunes Beurs ou des jeunes Africains soit moins réussie que celle des Italiens, des Polonais, des Espagnols ou des Portugais relève de l'évidence ! Qu'un sentiment de marginalisation se répande, qui débouche sur des aspirations communautaristes peu conformes à la tradition française, nul ne peut le nier. Que l'école ne soit plus aussi efficace pour araser les identités et transformer les enfants d'immigrés en descendants adoptifs des Gaulois, qui le contesterait ? Que des ghettos ethniques se soient formés, à rebours de la vision républicaine de l'assimilation, comment ne pas s'en désoler ?

Mais le droit du sol demeure un formidable instrument ; l'égalité, fût-elle battue en brèche, reste une référence absolue ; et même si « l'ascenseur social » ne fonctionne plus, comme autrefois, à travers les diplômes, les grandes écoles et l'obtention, à vie, d'un statut aristocratique, la société fait émerger des enfants de la première génération beur avec des situations de grande visibilité dans les médias, le *show business*, les sports. A l'âge médiatique, un Zidane est un exemple plus fort que cinquante majors de l'X ! La situation n'en demeure pas moins insatisfaisante : la réalité est devenue trop contradictoire avec la logorrhée assimilationniste à laquelle s'identifie encore le discours dominant. Faire mieux est possible, mais suppose de s'attaquer à quelques piliers du temple républicain. Ainsi, sacrilège des sacrilèges, le principe de laïcité, tel que l'a établi la loi de 1905, est-il adapté au traitement du culte musulman ? Correspond-il à la situation d'une religion qui n'a pas hérité d'un immense patrimoine historique, la dotant à vie d'églises, de séminaires, de structures associatives ? Ne pas toucher aux règles de 1905, c'est pousser les musulmans vers des lieux de culte miséreux et clandestins, s'en remettre aux dons d'Etats étrangers prosélytes afin de construire des mosquées, conférer la formation des imams à des institutions opaques et laisser se constituer un clergé soumis à des influences incertaines. Ce ne serait pas une mince affaire de déroger à notre principe de laïcité au profit du seul culte musulman : sans doute faudrait-il une révision constitutionnelle. Mais que préfère-t-on ? Sauvegarder notre bonne conscience « laïcarde » et laisser prospérer des situations que l'on juge *a posteriori* dangereuses ou faire certains accommodements empiriques avec la tradition républicaine ?

Autre pilier du temple qui mérite quelques coups : l'égalité. C'est, sous une forme différente, l'éternelle question de l'équité qui ressurgit. Attendre des filtres sociologiques en place la promotion sociale des enfants d'immigrés, c'est faire un pari perdu d'avance. Il faudrait, au rythme actuel, des décennies avant que les Beurs trouvent une représentation conforme à leur poids démographique dans les hiérarchies d'entreprise, les niveaux supérieurs de la fonction publique, le monde universitaire, les grandes associations, voire les syndicats. Forcer les choses, c'est évidemment mettre à mal les principes égalitaires de promotion et de recrutement. Pourquoi ne pas envisager un processus qui préserve notre corpus doctrinal, tout en permettant empiriquement quelques progrès ? Ce pourrait être un accord collectif, sorte de Grenelle de l'intégration, signé par l'Etat, les principaux acteurs sociaux et les grandes institutions, et qui prévoirait, pendant une période de temps limitée, des actions volontaristes, de manière à accélérer le rythme et l'ampleur de l'intégration à tous les niveaux de la pyramide sociale. Autre entorse au principe d'égalité à mener dans le saint des saints de l'égalitarisme, l'éducation nationale : aller très au-delà des mesures dérogatoires d'ores et déjà en place dans les zones d'éducation prioritaire et donner des avantages massifs de rémunération et de promotion de carrière aux professeurs, choisis parmi les meilleurs, qui accepteraient une période d'enseignement dans les quartiers difficiles... La liste est sans fin des mesures possibles, dès lors que les principes traditionnels sont temporairement laissés de côté. Nul n'envisage de les mettre définitivement à bas : il s'agit simplement d'y déroger, pendant quelques années, afin de leur permettre de retrouver ultérieurement leur splendeur... Mais croire en une amélioration spontanée de l'intégration, en pariant sur les précédents réussis et le travail du temps, c'est mener la politique de l'autruche, par peur d'affronter des débats idéologiques sur la laïcité ou le mythe égalitaire.

Cinquième chantier, peut-être le plus difficile : essayer d'enrayer le déclin intellectuel et culturel de la France. Les théologiens du déclin se trompent en effet d'enjeu : ils sont obsédés par un recul économique et social plus que contestable et ne mesurent pas l'affaissement de la France dans tout ce qui relève de l'ordre de l'esprit ; peut-être se dupent-ils parce que, membres de la corporation intellectuelle, ils n'arrivent pas à être juges et parties. « L'exception culturelle » est un élégant rideau de scène, derrière lequel se joue une pièce inquiétante. Déclin culturel au premier chef : où sont les auteurs français qui s'imposent dans le monde comme un Eco, un Vargas Llosa, un Coetzee ? Et, hormis Boulez, les musiciens français ? Et les hommes de théâtre, les peintres, les sculpteurs qui ont accédé au statut de gloire internationale ? Déclin universitaire, évidemment : que pèsent Polytechnique, Centrale, la Rue d'Ulm, face au MIT et aux instituts les plus admirés de Yale, Princeton ou Berkeley ? Que vaut Dauphine, à côté de la London School of Economics, Jussieu vis-à-vis d'Oxford ? De moins en moins de prix Nobel, de moins en moins de brevets, de plus en plus de chercheurs qui s'exilent : le bilan n'est pas brillant. Déclin intellectuel, aussi : quels sont les penseurs français qui écrasent de leur autorité les débats mondiaux ? Une fois effacée la génération des Derrida, Serres, Girard, reconnus par la communauté académique américaine comme le furent les Braudel, Foucault, Deleuze, quel grand nom fait rêver les universités d'outre-Atlantique, avides de l'attirer, fût-ce pour un cycle de conférences ? Vers quel Français se précipitent les syndicats de journaux internationaux désireux d'obtenir une opinion éditoriale, comme ils le font avec Philip Roth, Rushdie, Günter Grass ou Habermas ? Déclin médiatique, de surcroît : le magistère des journaux français s'est érodé au profit de la presse anglaise et américaine, mais aussi espagnole, dès lors que celle-ci peut surfer sur la vague de l'*Hispanidad*. Ce recul tous azimuts ne relève pas de la fatalité ou d'une normalisation qui mettrait fin à un statut historiquement exorbitant. Il traduit un choix collectif : le refus de penser que les choses de l'esprit appellent aussi la compétition et que celle-ci est le meilleur des stimuli. Entendons-nous : compétition ne veut pas dire marchandisation. Ce n'est pas la surprotection par rapport aux excès du marché qui pénalise la France, mais l'attitude qui lui a fait mettre sous une bulle protectrice ses écrivains, ses scientifiques, ses intellectuels, ses chercheurs, ses peintres, ses artistes, ses philosophes. La culture, l'art, les sciences sociales sont pris dans un maelström compétitif aussi brutal que les marchés des biens et services : c'est sur la scène internationale que s'acquièrent, progressent ou périclitent les réputations. Or, à l'abri de « l'exception culturelle », souvent pénalisés sans le savoir par le Fort Chabrol qu'est devenue la francophonie, les Français se contentent de « jouer petits bras » : ils produisent, peignent, créent pour le village français, y trouvent une gloire et des satisfactions locales et ressentent le grand large au pire comme un risque, ou mieux comme une opportunité accessoire. La méconnaissance de l'étranger commence aux frontières de l'Hexagone : nos partenaires européens semblent même exotiques à nombre de nos meilleurs esprits. La manière dont l'intelligentsia française s'est emparée de l'affaire Battisti était, à cet égard, édifiante : l'Italie était devenue, à ses yeux, une république bananière, ses institutions de purs simulacres, son histoire un tissu d'anecdotes et la réaction unanime de ses élites, gauche et extrême gauche comprises, la preuve de leur dévoiement. C'est, en l'occurrence, moins la position prise par les Français qui posait problème que l'ignorance qu'elle manifestait vis-à-vis d'un de nos partenaires les plus proches.

Villageois, nous sommes de plus en plus ignorés par les autres. Quiconque parcourt le monde peut mesurer physiquement cet impressionnant déclin : de moins en moins d'articles, de moins en moins de références, de moins en moins de critiques, de moins en moins, en un mot, d'intérêt. Quel rapport, penseront d'aucuns, avec les difficultés du modèle français, exclusion, intégration, rigidités ? N'est-ce pas une forme d'ethnocentrisme, propre à la tribu intellectuelle, de se préoccuper si gravement de sa place dans le monde ? Davantage de réalisme et d'empirisme ne devrait-il pas être l'alpha et l'oméga du pays, indépendamment de l'état de ses élites ? Faux : ce n'est pas un hasard si tous les pays sont attachés à leur statut intellectuel : ce type d'influence n'a pas disparu, même si ses formes ont changé. Et pour nous, l'enjeu est plus important que pour beaucoup : l'atmosphère culturelle, académique, intellectuelle façonne plus qu'ailleurs l'état d'esprit du pays et de ses responsables politiques et économiques. L'air demeure, chance ou malchance, plus élitiste et plus intellectuel chez nous que dans beaucoup d'autres pays riches.

Aussi le malaise induit par ce déclin, accepté ou ignoré, crée-t-il une onde de choc. Il n'est propice ni à sécréter de l'énergie collective, ni à mettre l'imagination au pouvoir, ni à créer un esprit collectif, comme ce fut le cas à d'autres époques. De là le pessimisme ambiant, le fatalisme, la passivité qui poussent les Français à se poser les questions qui n'existent pas et à ne pas se poser les questions qui existent. De là leur tendance à céder au syndrome d'Astérix et à se croire à la fois la victime et le centre de l'univers. De là leur refus de s'accepter comme une province de l'Europe et un canton de la planète. De là leur difficulté à regarder le monde tel qu'il est. De là le nombrilisme et le narcissisme qui nous empêchent de prendre la mesure des réalités : des mouvements telluriques en train de redessiner la carte mondiale, des rapports de forces en pleine métamorphose, une spécificité européenne en question, et par ailleurs de micro-problèmes que nous croyons insurmontables. Echapper au syndrome du village gaulois est désormais une question de survie.

TABLE

Achevé d'imprimer sur les presses de

BUSSIÈRE

GROUPE CPI

à Saint-Amand-Montrond (Cher)
pour le compte des Éditions Grasset
en novembre 2004

Photocomposition Nord Compo
59650 Villeneuve-d'Ascq

Nᵒ d'Édition : 13549. Nᵒ d'Impression : 044846/1.
Première édition : dépôt légal : octobre 2004.
Nouveau tirage : dépôt légal : décembre 2004.

Imprimé en France

ISBN : 2-246-68121-9